ANAYA

ESPAÑOL LENGUA EXTRANJERA

escritura

Myriam Álvarez
M.ª Ángeles Álvarez Martínez

Elemental A1-A2

Equipo de la Universidad de Alcalá

Dirección de la serie Anaya ELE en Escritura: María Ángeles Álvarez Martínez

Programación: María Ángeles Álvarez Martínez
Ana Blanco Canales
María Jesús Torrens Álvarez

Juan Ignacio Luca de Tena, 15 - 28027 Madrid

2.ª edición: 2011
2.ª reimpresión: 2016

Depósito legal: M-4.743-2011
ISBN: 978-84-667-8375-0
Printed in Spain

Equipo editorial
Edición y coordinación: Milagros Bodas, Sonia de Pedro
Corrección: Sarah Martín
Cubierta: Fernando Chiralt
Diseño de interiores y maquetación: Ángel Guerrero

PRESENTACIÓN

Anaya ELE es una colección temática diseñada para aunar teoría y práctica en distintos ámbitos de la enseñanza de Español como Lengua Extranjera. Su objetivo es ofrecer un material útil donde la teoría se combine de forma coherente con la práctica y permita al alumno una ejercitación formal y contextualizada con actividades amenas y variadas, teniendo en cuenta siempre el uso de los contenidos que se practiquen.

Esta colección se inició con un libro dedicado a los **verbos,** un **referente** destinado a estudiantes de todos los niveles.

Anaya ELE es una serie dedicada a la **gramática,** al **vocabulario,** a la **fonética** y a la **escritura.** Se estructura en tres niveles, siguiendo los parámetros del actual *Plan Curricular del Instituto Cervantes* (2007).

Este libro de escritura **teórico-práctico** consta de tres capítulos (Textos breves, Narración y Descripción), donde se explican y comentan, de forma detallada, las características fundamentales de los distintos tipos de escrito; para ello, se recurre a una abundante ejemplificación, ya que para aprender a escribir es necesario conocer y analizar textos similares a aquellos que se quieren «construir».

El libro se divide en dos partes: **A1** y **A2,** con la misma estructura, para que el alumno pueda, de forma gradual, pasar sin esfuerzo al conocimiento y ejercitación de los géneros textuales tratados en este libro.

Estructura

Cada capítulo incluye dos partes diferenciadas:

- **Teoría.** Explicación y ejemplificación amplia y detallada de tipología textual variada.
- **Práctica.** Ejercicios de reconocimiento, redacción y construcción de textos.

Es una excelente propuesta para adentrarse en el conocimiento de los textos y de la escritura, facetas por lo general poco atendidas en la enseñanza del español para extranjeros.

En todos los manuales se incluyen las **soluciones** de los ejercicios; de esta forma se constituye en una herramienta eficaz para ser utilizada en el aula o como **autoaprendizaje.**

Anaya ELE en pone al alcance del estudiante de Español como Lengua Extranjera un material de trabajo que le sirve de **complemento a cualquier método.**

ÍNDICE

A1

A2

Escribir es una actividad que se aprende. Es necesario conseguir un aprendizaje específico y consciente para desarrollar esta destreza. Es, por tanto, una técnica comunicativa que se obtiene con una práctica constante. Escribir es, al fin y al cabo, una continuidad del habla, el último grado del aprendizaje y el dominio de una lengua.

Todo texto requiere una elaboración minuciosa y calculada, no exenta de corrección. Pese a que no existen unas reglas únicas e invariables, pueden encontrarse, sin embargo, algunas constantes en la estructuración de los textos, pero siempre partiendo de la base de que no existen clichés fijos, fórmulas inmutables, sino una predisposición que nos conduce a reconocer tipos de escritos diferentes unos de otros.

Las autoras

Escritura

Teoría y práctica

A1

1 TEXTOS BREVES: Anuncios, Avisos, Notas, Mensajes

¿Qué es un texto breve?

Los textos breves son los más sencillos: expresan una sola idea y se redactan con mucha claridad para que el receptor los comprenda fácilmente. A través de estos textos es posible:

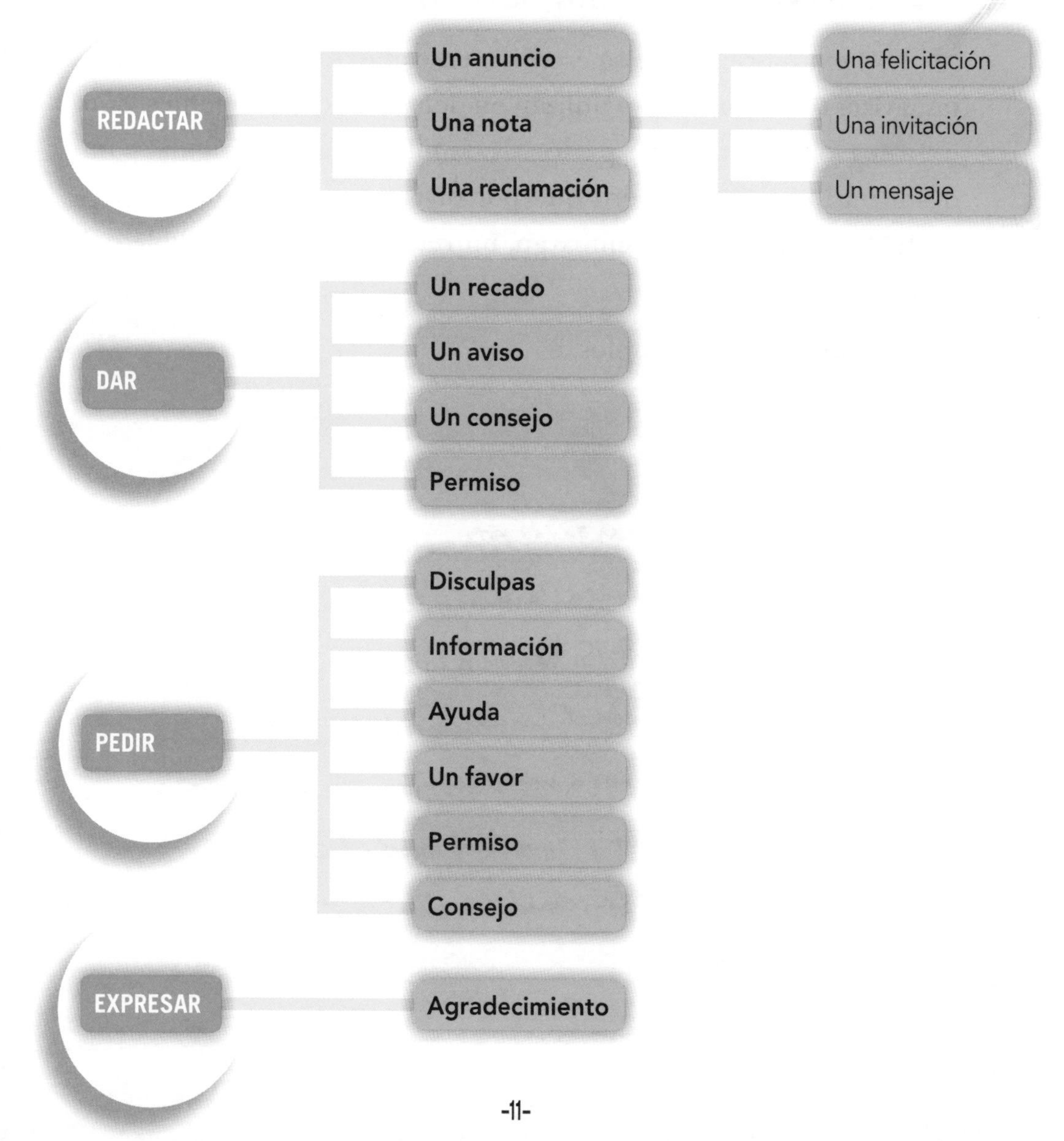

Los textos breves comunican una información concreta. Para ello se utilizan oraciones simples, separadas por signos de puntuación frecuentes, y se evita la complejidad sintáctica. La cortesía está presente en algunos casos.

Dos tipos de textos breves según su contexto: contextos privados y contextos públicos

TEXTOS BREVES EN CONTEXTOS PRIVADOS

Los textos breves que se escriben en **contextos privados** son **notas, avisos** y **recados** que se utilizan en determinados ambientes. Son informaciones de carácter personal o familiar que van dirigidas a un destinatario conocido, pero que por diversas razones no está presente. El **receptor** es, sin embargo, un referente imprescindible del mensaje.

Veamos algunos ejemplos:

Voy a regresar tarde esta noche, porque va a venir conmigo Carmen y tomaremos el tren de las 8:15. Vamos a necesitar sábanas y mantas para el dormitorio de invitados. También vamos a necesitar que encendáis la calefacción porque hace mucho frío. Por favor, dejad la comida en el frigorífico. Gracias.

Te dejo las llaves del coche sobre la mesa del salón. He tenido que ir a Madrid a buscar a mi hermana, que viene de Buenos Aires. No olvides echar gasolina al coche y comprar las bebidas para la fiesta del sábado. Besos.

Antonia

Teresa, por favor, ¿puedes recoger a los niños a la salida del colegio el jueves y llevarlos después a clase de inglés? Paco está en Valencia y yo tengo consulta con el médico. Llámame a casa mañana temprano.

Lola

No puedo ir contigo hoy de compras al centro. Ana se ha caído de la moto y se ha roto un tobillo. He estado en urgencias toda la mañana. Quedamos para el jueves en la cafetería. Llámame.

Elvira

Observa

- **El EMISOR** de los dos primeros textos quiere dar un recado a través de estas notas, pero también espera que el destinatario del mensaje realice alguna acción (encender la calefacción, poner gasolina, comprar bebidas). Por esta razón debe existir amabilidad y cortesía. Se observa en el empleo de «por favor», «gracias».
- **La PERSONA** que escribe el tercer texto intenta, además, pedir ayuda ante una situación complicada (ni ella ni su marido pueden recoger a los hijos, por eso pide ayuda a una amiga).
- **En el ÚLTIMO** ejemplo sencillamente se da un recado para retrasar —o anular— una cita entre amigas.

TEXTOS BREVES EN CONTEXTOS PÚBLICOS

A veces, los textos breves aparecen en **contextos públicos,** sin dirigirse a un destinatario conocido, y transmiten una información importante. Se escriben porque ha habido algún cambio, por ejemplo, en el programa de un concierto, en la ruta de un autobús o en el recorrido de un tren, en la hora o en el lugar de celebración de algún espectáculo, etc. Son mensajes escritos en un **tono objetivo,** distante.

Al principio suelen ir, muy destacadas, las palabras *aviso, aviso al público, nota* o *anuncio,* que nos obligan a fijar la atención y a leer inmediatamente el texto.

La **cortesía** debe ser un elemento esencial: es necesario no solo informar de los posibles cambios, sino también pedir disculpas por los inconvenientes o las molestias que estos puedan ocasionar al público.

Para ello, se emplean expresiones como:

- *Rogamos disculpen las molestias.*
- *Rogamos sepan comprender.*
- *Rogamos disculpen los trastornos que pueda causarles.*

Veamos algunos ejemplos:

I AVISO

Por el mal tiempo, se suspende la celebración del torneo de ajedrez al aire libre prevista para esta tarde.

La dirección de la Asociación Amigos del Ajedrez.

✔ AVISO IMPORTANTE

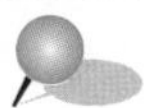

Se comunica a los usuarios que la línea 910, Santa Cruz-San Andrés, no va a prestar servicio durante la mañana del domingo 27 de abril, porque la vuelta ciclista va a pasar a lo largo de esta avenida.

El servicio se reanudará a partir de las 15:00 horas. Rogamos disculpen las molestias.

La Empresa

II NOTA

A causa de una dolencia pasajera, la actriz María Gutiérrez no actuará en la función de esta noche. Gloria del Campo es la actriz que va a representar el papel principal.

III ANUNCIO

Estudiante en Burgos:

Si te interesa la posibilidad de organizar un grupo para ir y venir a Burgos todos los días del próximo curso escolar, puedes ponerte en contacto con Joselito Pérez.

Teléfono: 047-433457, Solarana.

Observa

- **En los TEXTOS** del primer grupo —**contextos privados**— se utilizan las formas verbales de 1.ª y 2.ª persona, porque, al fin y al cabo, son un tipo de comunicación especial que tiene lugar en ausencia del destinatario.
- **Los TEXTOS** que se escriben en **contextos públicos** en 3.ª persona son distantes. La fórmula *rogamos disculpen las molestias,* que aparece en el ejemplo de aviso importante, es una expresión de cortesía con la que se pretende atenuar la incomodidad y el enojo del público. En estos textos de carácter público se emplea con frecuencia el futuro *(no efectuará, se suspenderá)* o una perífrasis con el significado de futuro *(no va a actuar).*

En ocasiones, mediante un aviso se nos exige cortésmente un comportamiento determinado. En ciertos lugares públicos existen **normas de conducta** que debemos conocer para luego cumplir. Así, a la entrada de algunas iglesias puede leerse el siguiente aviso:

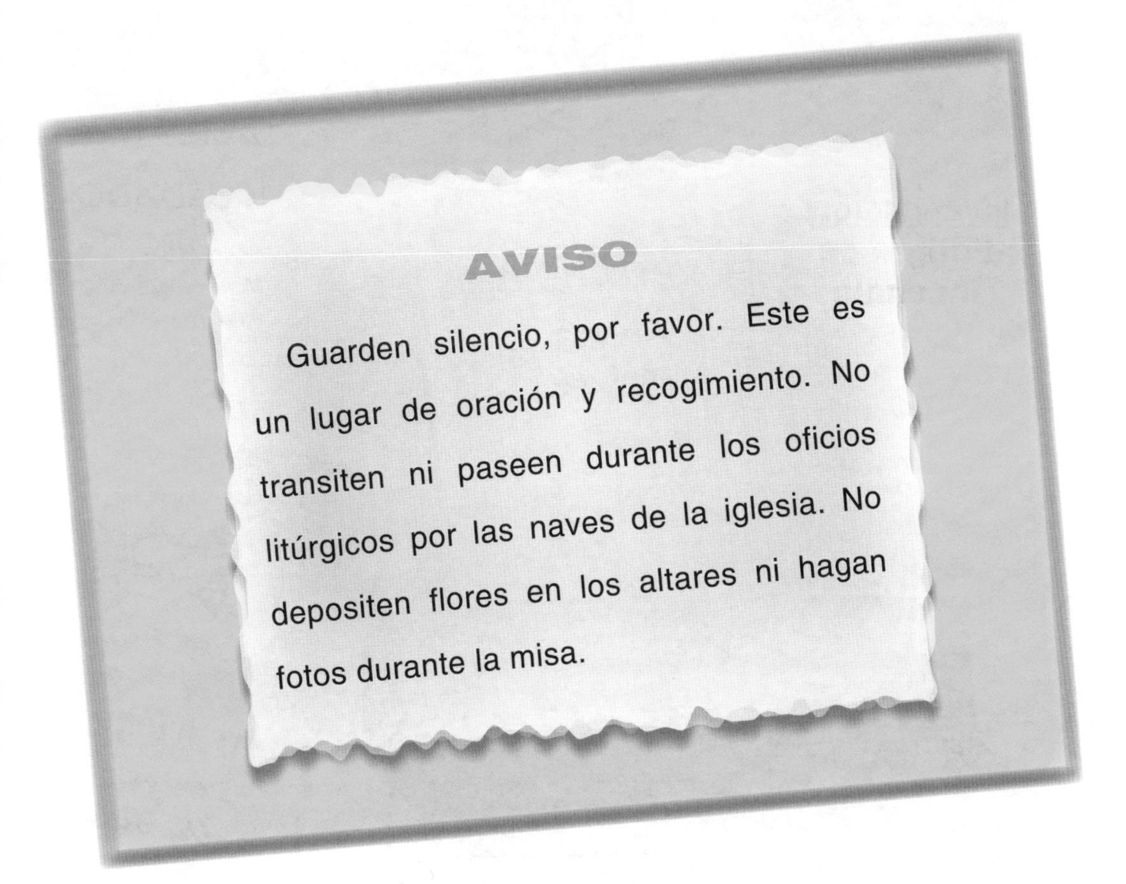

Observa cómo la cortesía se refleja en la fórmula *por favor,* que debilita el mandato que parece dominar en este aviso. Es un aviso expresado en forma de orden, por eso la forma verbal que se utiliza es la de imperativo, y en este caso concreto en forma negativa.

Pero algunos avisos necesitan llamar la atención del público de forma rápida y eficaz, sobre todo porque puede existir algún peligro o riesgo inminente. Entonces es frecuente utilizar **exclamaciones** que alertan a los usuarios, e incluso no aparece el verbo en algunos casos.

Veamos algunos ejemplos:

Hay textos breves que se escriben cuando se adopta una actitud ante cierta realidad, como si se diera una respuesta ante determinadas circunstancias. A través de ellos puedes, por ejemplo:

– **Disculparte** por no poder asistir a una cita, a un evento…

– **Reclamar** por el retraso de la salida de un tren.

– **Mostrar agradecimiento.**

– **Felicitar** a alguien por el éxito obtenido.

– **Pedir ayuda** para resolver algún problema.

– **Invitar** a alguien a una fiesta, a una excursión.

– **Dar o pedir consejo.**

– **Conceder o pedir permiso** a alguien para realizar alguna acción.

– **Hacer recomendaciones** sobre un comportamiento determinado en ciertos lugares públicos.

– **Prometer algo.**

– **Manifestar quejas** ante una situación concreta que se considera injusta.

Vamos a ver algunos ejemplos (se destacan las palabras o expresiones que debes utilizar en cada caso).

I PEDIR DISCULPAS

Siento mucho **no poder asistir el jueves a la cena que habéis organizado en el Hotel Princesa para celebrar el cumpleaños de la abuela, pero un viaje inesperado de negocios me obliga a estar fuera durante esa semana. Saludos.**

Tomás

Le pido disculpas. **No pude acudir a la cita que tenía en su consulta el martes día 14, ni pude llamarlo por teléfono, porque tuve un pequeño accidente en la autopista del norte.**

Lo lamento, **y le ruego que su enfermera me dé una nueva cita.**

Ángel García

II HACER UNA RECLAMACIÓN

Los pasajeros del vuelo 098, Alicante-Santiago, que tenía prevista la salida a las 12.45 del pasado lunes y que, por causas desconocidas, salió a las 6.00 del día siguiente, **reclaman** a la compañía aérea daños y perjuicios por este injustificado retraso y **exigen** a dicha compañía que explique a través de un comunicado en la prensa la causa de este irregular comportamiento.

III MOSTRAR AGRADECIMIENTO

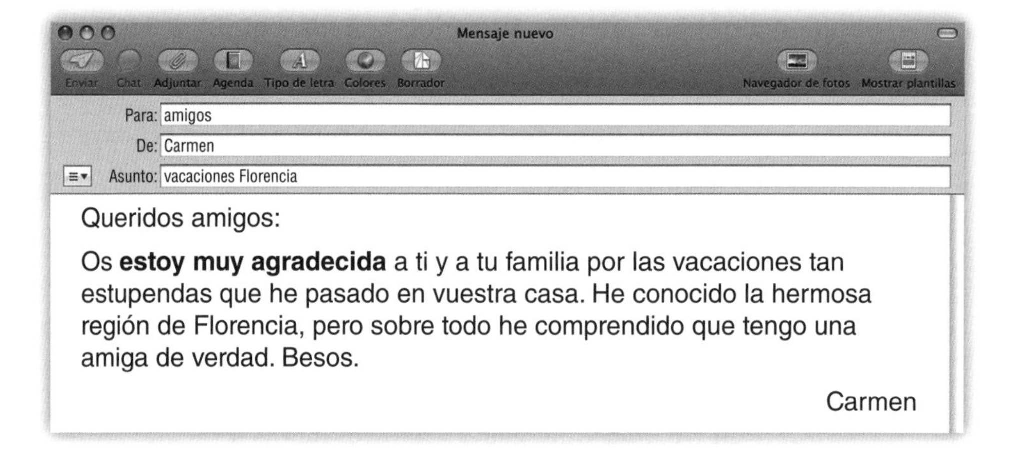

Queridos amigos:

Os **estoy muy agradecida** a ti y a tu familia por las vacaciones tan estupendas que he pasado en vuestra casa. He conocido la hermosa región de Florencia, pero sobre todo he comprendido que tengo una amiga de verdad. Besos.

Carmen

Le doy las gracias porque me ha ayudado con los exámenes y porque me ha dejado el material necesario. En gratitud a su generosa colaboración, le envío estas flores.

Fernando

IV FELICITAR

El jefe del Departamento de Ventas y todos los trabajadores de esta sección felicitan al director de esta empresa por haber obtenido en las últimas elecciones los votos necesarios para ocupar un puesto en el Ayuntamiento de nuestra ciudad. ***Reciba nuestra más sincera felicitación.***

*¡**Te deseo** una feliz Navidad y un próspero Año Nuevo! Espero que pases estas vacaciones con tu familia y que comas mucho turrón. **Mis mejores deseos** para el próximo año 2002 para ti y toda tu familia.*

V PEDIR AYUDA

Me gustaría saber cuáles son los documentos que hay que presentar para la matrícula del curso de Astronomía que imparte esa universidad en los meses de verano. Estoy trabajando y no puedo ir a preguntar estos datos en el horario de secretaría. *¿Podrían* enviarme ustedes por correo esta información o llamarme al teléfono 028-234567?

José Negrín

VI INVITAR

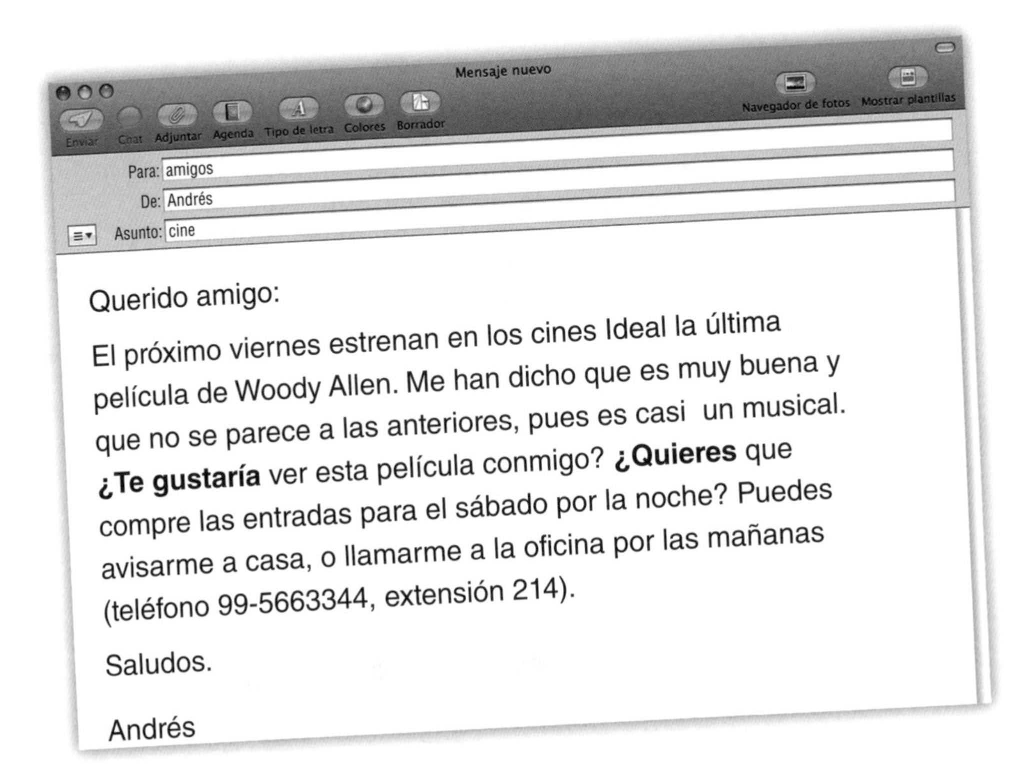

Mensaje nuevo

Para: amigos

De: Andrés

Asunto: cine

Querido amigo:

El próximo viernes estrenan en los cines Ideal la última película de Woody Allen. Me han dicho que es muy buena y que no se parece a las anteriores, pues es casi un musical. **¿Te gustaría** ver esta película conmigo? **¿Quieres** que compre las entradas para el sábado por la noche? Puedes avisarme a casa, o llamarme a la oficina por las mañanas (teléfono 99-5663344, extensión 214).

Saludos.

Andrés

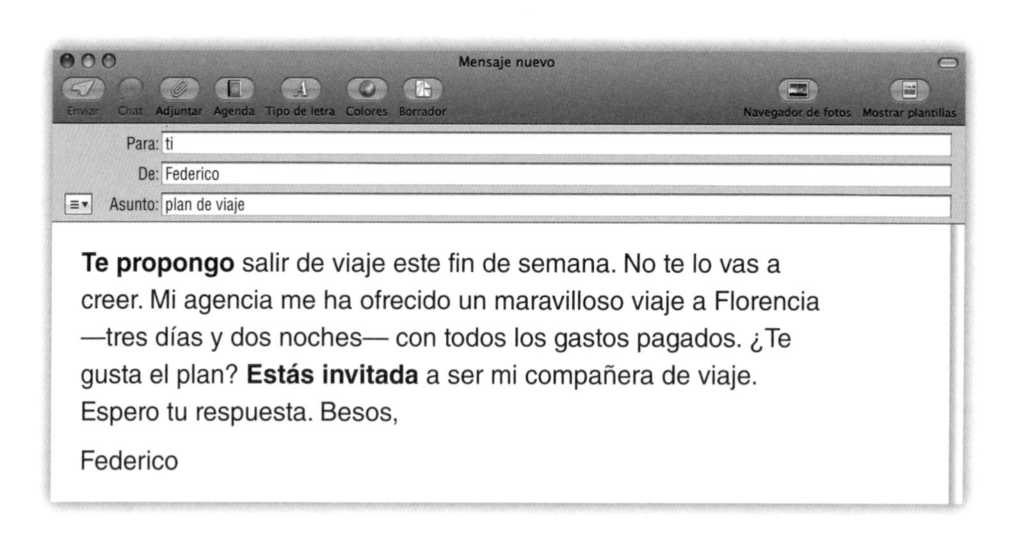

Mensaje nuevo

Para: ti

De: Federico

Asunto: plan de viaje

Te propongo salir de viaje este fin de semana. No te lo vas a creer. Mi agencia me ha ofrecido un maravilloso viaje a Florencia —tres días y dos noches— con todos los gastos pagados. ¿Te gusta el plan? **Estás invitada** a ser mi compañera de viaje. Espero tu respuesta. Besos,

Federico

VII DAR UN CONSEJO

VIII PEDIR CONSEJO

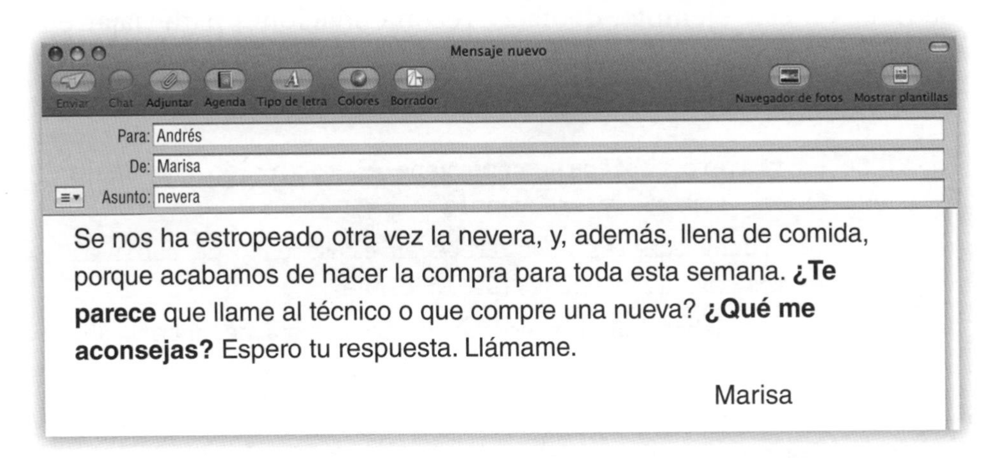
Mensaje nuevo

Para: Andrés
De: Marisa
Asunto: nevera

Se nos ha estropeado otra vez la nevera, y, además, llena de comida, porque acabamos de hacer la compra para toda esta semana. **¿Te parece** que llame al técnico o que compre una nueva? **¿Qué me aconsejas?** Espero tu respuesta. Llámame.

Marisa

IX PEDIR PERMISO

Los trabajadores de la factoría Nelka **solicitan** de la dirección de esta empresa salir a las 17 horas el próximo martes, día 23 de noviembre, para asistir a la concentración contra la subida del gasóleo que va a tener lugar en la Puerta del Sol a partir de las 18 horas.

X CONCEDER PERMISO

El director del Colegio Nacional Mío Cid **autoriza** a los alumnos seleccionados para el torneo de ajedrez a salir del centro a media mañana. Además, **ha dado su permiso** para que el autobús del colegio traslade a este grupo de estudiantes a Briviesca, donde se va a celebrar la competición.

Fdo.: José Martínez

XI HACER RECOMENDACIONES

Se trata, en este ejemplo, de hacer recomendaciones para viajar en autobús.

- Si no es viajero habitual, **compruebe** el recorrido que desea hacer, línea, horario y frecuencia.
- El viajero **debe** comprar su billete en el momento de subir al autobús o mostrar su bonobús (si lo tiene).
- Los viajeros **deben** subir siempre por la puerta delantera del autobús, excepto los minusválidos con sillas de ruedas.
- **No se debe** distraer al conductor.
- Los niños menores de 5 años tienen derecho a viajar gratis, pero **deben** ir acompañados de una persona mayor que haya pagado su billete.
- Por respeto a los demás viajeros, en el interior del autobús **está prohibido**: fumar, beber, comer, cantar, viajar bajo los efectos del alcohol.
- Al bajar, **no cruce** por delante del autobús.

La Empresa

XII PROMETER ALGO

Te aseguro que no voy a volver tarde de la fiesta, y **te doy mi palabra** de que no voy a beber mucho. Mañana **sin falta** voy a traerte el trabajo terminado. ¡Ya verás! Cuídate.

Ramón

XIII MANIFESTAR QUEJAS

¡**No hay derecho**!

Protestamos porque desde 1998 no nos han subido el sueldo. **Presentamos nuestras quejas** al director y **manifestamos nuestro descontento** ante esta desagradable situación. ¡**Es el colmo**! Además, **nos quejamos** por la ampliación del horario hasta las 6 de la tarde. ¡No hay derecho!

FUNCIONARIOS DEL CENTRO PÚBLICO CHAMADE

EJERCICIOS

1 **Escribe los siguientes textos breves:**

- Un aviso de fuerte tormenta.
- Una nota para la asistenta.
- Una reclamación por mal funcionamiento de una impresora.
- Una invitación a una fiesta de cumpleaños.
- Una petición de ayuda para buscar un libro en la biblioteca.

2 **Completa los textos con las expresiones adecuadas.**

a)

Te .... por mi rápida marcha el jueves por la tarde. Me dolía la garganta y sentía escalofríos: tenía gripe. .... no haberte escuchado en la segunda parte del concierto. Saludos,

Antonia

b)

.... muchísimo la cariñosa felicitación que nos han enviado por el nacimiento de nuestra hija. Salvador y yo .... también nuestro .... por el bonito regalo que nos han mandado. Afectuosos saludos.

c)

.... a los alumnos de Astronomía que el examen del día 24 se .... en el aula A-4 y no en el aula de clase, como se había anunciado.

El Jefe de Departamento

d)

..........., ... en el frigorífico la lechuga, las naranjas, los tomates y la leche; ...... los vasos en el fregadero. Cierra todas las ventanas antes de salir y .... las llaves al portero. Besos,

Carmela

3 **Relaciona las expresiones con el tipo de escrito en que suelen encontrarse.**

Por favor, ¿puedes...?	aviso
¡Enhorabuena!	permiso
Sentimos mucho...	invitación
Le estoy muy agradecido...	felicitación
Queremos que nos devuelvan el dinero...	agradecimiento
Te propongo participar...	ayuda
Se suspende la corrida de toros...	disculpa
Se permite fumar en el tren.	reclamación

4 **Señala a qué tipo de escrito pertenecen estos ejemplos.**

a)

Se comunica al público que este parque se cierra a las 10 de la noche por motivos de seguridad. Los visitantes que permanezcan después de esa hora, deben salir por la puerta del sur en un tiempo no superior a los 20 minutos.

La Dirección

b)

Pertenecemos a la Asociación de Amigos del Arte y necesitamos tu ayuda para restaurar la catedral de León. Colabora con nosotros y tú también saldrás ganando.

c)

Va a llover. Yo llegaré tarde. Sube a la azotea a recoger la ropa. Tu hermano no puede salir porque no ha hecho los deberes. La comida está ya preparada. Calienta el potaje en el microondas. Espero que te guste. Besos.

Mamá

d)

La Biblioteca Nacional comunica a todos los usuarios que, con motivo de la instalación del marcador electrónico que avisa de la llegada de los libros, el Salón General de Lectura se va a cerrar los siguientes días:

Viernes 23 y sábado 24 de marzo

Viernes 30 y sábado 31 de marzo

Viernes 6 y sábado 7 de abril

Vamos a hacer todo lo posible para acortar el periodo de instalación.

Les rogamos, una vez más, que disculpen todas las molestias, al tiempo que agradecemos su colaboración y paciencia.

SERVICIO DE SALAS GENERALES

e)

Quiero expresarle mis más sinceras disculpas por el malentendido que ha ocasionado nuestro enfado del jueves pasado. Lamento profundamente todo lo sucedido. Sé que es usted el que tenía la razón y yo me comporté como un maleducado y fui descortés. Le suplico que me disculpe.

Federico

f)

Durante el concierto no se levanten de sus asientos.
Por favor, desconecten los teléfonos móviles y las alarmas de los relojes.
Los cantantes exigen silencio absoluto en la sala. No deben aplaudir hasta que el director de la orquesta entre en el escenario para dejar que los músicos afinen los instrumentos.

Muchas gracias por su colaboración.

g)

Lector: necesitamos tu ayuda. Queremos editar libros de los que te sientas orgulloso, libros interesantes, libros prácticos para ti y tu familia. Por eso, es esencial saber tus preferencias y gustos.

Por favor, lee con atención este cuestionario, contesta a las preguntas y envíanoslo cuanto antes (no necesita sellos).

Muchas gracias.

Lee los textos siguientes y contesta a las preguntas.

1.

Enrique, por favor, ¿puedes pasar por el colegio a buscar al niño? Habla con la profesora porque, al parecer, hay problemas con su comportamiento en clase y con las notas de Historia. Luego hablamos.

Marina

a) ¿Qué tipo de escrito es?

b) Señala las expresiones que lo caracterizan.

c) Señala qué fórmulas y expresiones hay que cambiar y cómo deben cambiarse para convertirlo en un consejo.

2.

> **Se comunica a todo el personal de la fábrica de conservas El Riojano que el próximo viernes, 2 de octubre de 2001, se va a realizar un simulacro de incendio* a las 12 del mediodía. Se ruega, por tanto, que todos los operarios salgan del edificio rápidamente al sonar la alarma.**
>
> **La Dirección**

a) ¿Qué tipo de escrito es?

b) Señala las expresiones que lo caracterizan.

c) Señala qué fórmulas y expresiones hay que cambiar y cómo deben cambiarse para convertirlo en una queja y/o reclamación de los trabajadores de la fábrica.

Construye tres textos diferentes combinando y ordenando las frases de las tres columnas y di a qué tipo pertenecen.

A	B	C
Esta noche viene a cenar la madre de mi amigo	Hay tres días de luto oficial	Por favor, pónganse en contacto con nosotros
Pasamos a entregar su envío a las 10 horas	Déjame unos limones, un poco de azúcar y huevos	Se ruega asistir con lazos negros y pancartas
para preparar un postre rápidamente	una concentración en memoria de *El Piti*	para atendernos
Se convoca al pueblo de Sevilla a	Lamentamos no haber encontrado a nadie	¿Puedes prestarme el mantel de cuadros,
Llamen al teléfono 928-232425	Te espero «como agua de mayo»	Se cortará el tráfico en las calles del centro
el que compraste en el hipermercado?	al paso del entierro	de 10 a 13 horas

* Un simulacro de incendio es un ensayo (fingido) de salida de emergencia. Sirve para preparar a la gente, que debe salir de forma rápida en caso de un fuego real.

A ....

....

....

....

....

B ....

....

....

....

....

C ....

....

....

....

....

7 **Completa los espacios con la expresión adecuada y di a qué tipo de texto pertenece cada ejemplo.**

a)

Por la presente, ... a todos los propietarios del *parking* Avda. de América a utilizar la salida general en los días de Navidad para facilitar el acceso a la autopista de Barcelona. Esta salida .... a partir del próximo 16 de diciembre, a las 6 de la mañana.

La Dirección

b)

Quiero expresarte mi .... por ganar la plaza en la delegación de Oviedo. .... de ese nuevo éxito en tu carrera y .... por ti, porque puedes regresar de nuevo a tu tierra, como deseabas desde hace tanto tiempo.

Un abrazo,

Carmina

c)

.... por la molesta situación que ha tenido que soportar. No sabemos todavía dónde se ha producido el error que le ha dejado a usted sin dinero. .... que todo esto le haya pasado, y además en el extranjero. Me encargo personalmente de buscar al responsable de tan lamentable equivocación. Le repito ....

El Director del Banco

d)

Queremos expresarle .... por el comportamiento tan humano y desinteresado que usted ha manifestado con motivo del desafortunado accidente que ha sufrido nuestro hijo. Sabemos que su trabajo es atender a los enfermos, pero .... por todas las visitas que realizó fuera de su horario, por la atención con Pablo, y .... también todo lo que hizo para que lo admitieran en las sesiones de rehabilitación, que no podíamos pagar.

Andrea y Luis Lozano

2 LA NARRACIÓN

¿Qué es narrar?

Narrar es contar lo que ha sucedido, es relatar algún hecho que se ha producido en un tiempo pasado. Lo habitual es que se siga un orden lineal, esto es, **cronológico,** empezando por el principio hasta llegar al final o **desenlace** de los hechos.

¿Quién puede narrar?

Todos somos narradores de forma más o menos consciente. En la vida diaria solemos contar a la familia o a los amigos los acontecimientos o acciones que nosotros mismos protagonizamos o de los que somos testigos. Al mismo tiempo, continuamente oímos relatar a los demás lo que les sucede y les respondemos con nuestras propias experiencias. Y es que la conversación tiene una base narrativa esencial.

El **tiempo** es el factor fundamental de toda narración, pues las acciones suceden siempre en un tiempo determinado.

Veamos un ejemplo:

El domingo por la mañana, como hacía mucho calor, fui a la playa. Estuve unos minutos tomando el sol y luego me di un baño. Nadé durante un buen rato, pero de pronto oí el chillido de una gaviota que venía hacia mí. Entonces me sumergí en el agua. La gaviota me dio un ligero golpe en la cabeza y yo tragué bastante agua. Salí a la superficie, respiré profundamente, pero vi que el ave otra vez venía chillando hacia mí. Me asusté y moví los brazos desesperadamente para pedir ayuda. La gaviota volvió a golpearme, esta vez más fuerte. Una mujer que paseaba por la playa vino a socorrerme, y entre las dos logramos hacer huir a la enfurecida gaviota.

- **Los HECHOS** que se narran en este texto tienen lugar en el pasado con respecto al momento en que la narradora se sitúa. Por eso los verbos están en pretérito indefinido (***fui*** *a la playa,* ***nadé,*** *oí el chillido,* ***me sumergí, tragué*** *agua, salí a la superficie,* ***me asusté****...)*, que es el tiempo apropiado para la narración en pasado.
- **La NARRACIÓN** sigue un orden lineal, tal y como han sucedido los hechos.
- **La PROTAGONISTA** de este pequeño episodio es la que cuenta lo que le ha sucedido. Por eso emplea la primera persona del singular.

Pero un narrador que haya permanecido fuera de lo sucedido también puede contar esta historia, aunque de forma diferente:

Una mujer paseaba por la playa el domingo muy temprano cuando, de repente, vio que una gaviota atacaba a una muchacha. Esta iba nadando tranquilamente, cuando la gaviota se lanzó sobre ella y le dio un golpe en la cabeza. La mujer se paró asombrada, porque sabía que las gaviotas no son violentas. La mujer vio que la chica salió del agua a duras penas, y que respiraba con dificultad. La mujer observó con espanto que la gaviota volvía a golpear a la muchacha y que esta movía los brazos para evitar un nuevo ataque o para pedir ayuda. Entonces, se lanzó al mar para ayudarla. Entre las dos, finalmente, hicieron huir a la enfurecida gaviota.

Las acciones que se cuentan son las mismas, los personajes también. Solo cambia el punto de vista del narrador. Puesto que se trata de un mero observador de la acción, esta se cuenta con un tono objetivo, que se expresa mediante el empleo de la tercera persona del singular (*la mujer* **vio** *a la muchacha, la gaviota* ***se lanzó,*** *le* **dio** *un golpe en la cabeza, la muchacha* **salió**).

¿Dónde se sitúa la acción?

Todo relato se desarrolla en un tiempo determinado, como hemos dicho. Pero hay otro elemento fundamental en la narración y que responde a la pregunta ***¿dónde?*** Es el **lugar** donde sucede la acción.

- Para situar **la acción** correctamente debes utilizar:
  - Adverbios.
  - Complementos circunstanciales.
  - Todo tipo de expresiones que dan idea del lugar en donde ocurren los hechos.

Lee este relato en donde se narra la búsqueda del autor de un crimen:

> El capitán y sus hombres llegaron a Casa Zúñiga, en la provincia de Navarra, a eso del mediodía del martes. Dejaron los caballos a la sombra del álamo y allí los hombres se dispusieron a tomar un bocado y un descanso a la orilla del río, donde el cabo Marti se dio un chapuzón; abrieron las latas de sardina y de bonito y se hicieron unos bocadillos, cada uno con su pan.
>
> El capitán entró en el portal. De una habitación de arriba llegaba el eco sordo de una conversación de mujeres. Dio una voz y salió de nuevo a la era. Rodeó la casa, saltando la tapia de la huerta a sus espaldas, y las voces tan pronto se acercaban como se desvanecían. Cuando por la otra esquina regresó de nuevo a la era, al pasar junto al álamo vio las marcas de neumáticos, bastante recientes.
>
> Juan Benet, *El aire de un crimen*.
> Barcelona, RBA Editores, 1994 (texto adaptado).

El tiempo de la acción se expresa a través del pretérito indefinido: *llegaron, dejaron los caballos, abrieron unas latas, entró, rodeó la casa, regresó...*

- El **lugar** se manifiesta mediante:
  - Complementos circunstanciales: en Navarra, a Casa Zúñiga, a la orilla del río.
  - Adverbios: allí, arriba.
  - Oraciones subordinadas (complejas) de lugar: *donde el cabo Marti se dio un chapuzón.*

¿Qué podemos narrar?

Cualquier acción puede ser tema para una narración. Cualquier aventura pasada, e incluso una jornada de clase, es o puede convertirse en materia de la narración. Sin embargo, la historia que se cuenta, el **argumento,** tiene que ser interesante y atractivo para obligar al lector a esperar el desenlace.

No es necesario que hayas vivido realmente lo que cuentas; puedes también inventarte acontecimientos o hechos. Veamos un ejemplo:

Mi sobrino y yo salimos aquella tarde a dar un paseo en bicicleta. Queríamos subir hasta las murallas de San Miguel, pero teníamos que dar una gran vuelta para no escalar la cuesta que lleva directamente hasta allí. Salimos después de comer, con la merienda en nuestras mochilas. Recorrimos unos kilómetros en silencio; el aire de los árboles del río nos daba en la cara. Subíamos poco a poco la montaña, y el calor iba aumentando. De pronto, escuchamos un ruido que venía de la tierra, como el sonido ronco de un tambor. Nos paramos asustados y mi sobrino quiso esconderse o volver, pero vimos allí, detrás de una gran piedra, que salía vapor de agua de un color amarillo, como de una olla a presión, y el ruido era cada vez mayor. La tierra tembló a nuestros pies y se abrió una grieta al lado de mi sobrino. Nos acercamos y nos asomamos para ver lo que había dentro. Allí apareció ante nuestros ojos asombrados una cueva muy antigua. Sus paredes y el techo eran de todos los colores –azul, verde, amarillo, ocre– y de formas muy variadas, pero sobre todo muy redondeadas y pulidas. El agua fue haciendo lentamente esta cueva, fue creando su forma actual. Mi sobrino y yo nos convertimos en unos gloriosos descubridores en una tarde de verano.

¿Cómo debemos narrar una acción?

En la narración predomina la **acción.** Y la acción se expresa mediante verbos. Por tanto, debes emplear **verbos** para expresar el movimiento y el dinamismo que caracterizan la narración; sobre todo el pretérito indefinido, pero también el pretérito imperfecto, que puede detener la acción en el pasado. En el texto anterior se usan ambas formas verbales. Observa la diferencia:

*(...) **salimos, recorrimos,** la tierra **tembló,** allí **apareció...***

son acciones terminadas, frente a:

*(...) el aire **nos daba** en la cara, las paredes **eran** de todos los colores,* que parecen extenderse en el tiempo.

Dos tipos de narración especiales: la carta y el diario

La **carta** es una forma de comunicación insustituible. Mediante la carta puedes llegar a «hablar» con la persona ausente, contarle lo que ha sucedido en tu entorno y preguntarle por la situación en la que se encuentra. Puedes escribir una carta a tu familia, a tus amigos, cuando estás de viaje...

Te presentamos a continuación un modelo de carta de carácter familiar. La **fecha** y el **lugar** en que se escribe la carta van al comienzo. Luego va el **encabezamiento,** en donde aparece el nombre del destinatario del escrito (en este caso Lola, la amiga de la autora). A continuación, las noticias que realmente le comunica, y finalmente la **despedida.**

Perugia, 21 de febrero de 2010

Querida Lola:

Te prometí: ¡voy a escribirte! Y aquí estoy en el corazón de Italia, con el bolígrafo en la mano y el papel sobre mis rodillas. Tres semanas he pasado en esta ciudad divertida y alegre, en donde conviven gentes de muchos países y lenguas. Llegué a aquí para aprender italiano, pero hoy hablo más portugués que italiano, porque conocí a un simpático portugués que me ha enseñado su idioma. También hay muchos japoneses, pero su lengua es más difícil para nosotros.

La ciudad es preciosa, tiene unos arcos medievales hermosísimos, pero no nos dejaron pasar a contemplar sus monumentos porque estaban filmando una película. El domingo hicimos una excursión a Asís (Asisi en italiano), un pueblo muy bonito construido encima de una montaña. Vimos la iglesia con las pinturas de Giotto, y luego fuimos a comer espaguetis en un lugar típico.

Ahora escríbeme tú y dame noticias de todos, de Pepe, de Marisol, de tu hermano.

Un abrazo,

Teresa

Una vez terminada la carta, debe meterse en un sobre donde se escribirán las «señas» (la **dirección**) de la persona a la que se le envía y, por supuesto, las del **remitente** (la persona que la envía).

A continuación te mostramos la forma en que tienes que distribuir los datos en el sobre. En la parte delantera del sobre, a la derecha, hay que dejar el espacio para los sellos, y debajo hay que poner el nombre y la dirección del destinatario.

D.ª Lola Rodríguez Sanjuán
Avda. de los Toreros, 18, 1.º izda.
28005
MADRID

Los datos de la persona que escribe la carta constituyen el **remite** y se escriben en la cara posterior del sobre, o bien en la esquina superior izquierda de la parte delantera del sobre, precedida de la abreviatura *Rte.:* o sencillamente *R:*. Es frecuente la utilización de abreviaturas en la escritura de los sobres: *rte. = remite, avda. = avenida, c/ = calle, izda. = izquierda, dcha. = derecha, Sr. = señor* y *Sra. = señora* (si se dirigen a personas poco conocidas o respetadas).

Veamos un ejemplo de los datos del remitente:

Rte.: Teresa Rius. Via Carpetana, 123, 00012 Perugia. ITALIA

o bien:

R: Teresa Rius
Via Carpetana, 123
00012 Perugia
ITALIA

D.ª Lola Rodríguez Sanjuán
Avda. de los Toreros, 18, 1.º izda.
28005
MADRID

El **diario** es un texto que se va elaborando poco a poco, día a día. El autor es también protagonista de lo que se cuenta, pues es su vida, los acontecimientos vividos, lo que se convierte en tema del diario. Todos hemos sido en algún momento autores de un **diario íntimo,** que ocultamos a la mirada de los otros.

Así pues, el diario es un texto fragmentado en donde se van acumulando los episodios de la vida del autor, contados por él mismo.

Sus características son las siguientes:

- Está contado en **1.ª persona del singular.**
- Es un relato de **hechos pasados;** por lo tanto, se emplean el pretérito indefinido y el imperfecto. También puede utilizarse el pretérito perfecto.
- **Se inicia** cada episodio **con la fecha del día** correspondiente.

Veamos un ejemplo:

8 de agosto, en la noche

He regresado hoy de una excursión muy divertida. Todavía estoy cansado del viaje en barca que hemos hecho. Por la mañana el mar estuvo tranquilo y nos bañamos muy lejos de la orilla. Mis primos invitaron a dos amigos de Madrid que no han navegado nunca. Alquilamos una barca y allá nos fuimos. Por la tarde comenzó a soplar un viento muy fuerte y estos amigos tuvieron mucho miedo. He de confesar que yo también estaba aterrorizado: pánico es lo que sentía. A la vuelta el mar estaba rizado y la barca se movía como si fuera una nuez. El regreso fue difícil y los amigos madrileños solo deseaban poner el pie en tierra pronto. ¡Me gustan estas emociones fuertes que me hacen salir de la rutina!

- **La CARTA y el DIARIO** poseen rasgos comunes: ambos son textos escritos en primera persona del singular y relatan acontecimientos o hechos pasados y, en la mayoría de los casos, verdaderos y vividos por el que escribe.
- Sin embargo, **en la CARTA** aparece un destinatario concreto y singularizado (la amiga, en el ejemplo que hemos visto) y **en el DIARIO** no existe tal destinatario: su autor no escribe para nadie en particular, escribe para sí mismo, para pensar en lo que le ha sucedido (el autor del pequeño relato del ejemplo quiere únicamente reflejar la experiencia de su viaje en barca).

3 LA DESCRIPCIÓN

¿Qué es una descripción?

La descripción es «una pintura hecha con palabras», esto es, un texto que refleja una parte de la realidad que parece quedar «congelada». Por esta razón, el factor tiempo deja de tener importancia en los textos descriptivos.

Mediante la descripción se intenta poner ante los ojos del lector el objeto, el paisaje o la persona del que se describe. Para conseguirlo, tienes que estimular tu imaginación y avivar los sentidos, porque a veces tu descripción va a ser leída por alguien que no conoce lo que describes.

¿Qué podemos describir?

Cualquier persona, animal, lugar o cosa puede ser descrito, sea real o no. Podemos describir:

✔ Un **objeto:**

> Es pequeño y redondo. Tiene un asa roja para poder agarrarlo. Su cuerpo es negro, de madera. Los números que marcan las horas son azules, como el mar en primavera. Este es mi reloj despertador.

✔ Una **persona:**

Adrián es un niño de nueve años, que va a pasar los veranos a un pueblo lejano de Castilla. Llega con el buen el tiempo y se va antes de la llegada del frío. El pelo castaño y la blanca piel cambian pronto de color; como el trigo, su pelo se pone amarillo y su piel se tuesta, como el pan que se hace por esos pueblos. Adrián lleva unas gafas que parecen esconder sus enormes ojos negros. Es tímido y gracioso a la vez. Cuenta a todos sus vecinos historias verdaderas, como si contara un cuento.

✔ Un **animal:**

El búho es uno de los animales más graciosos que he visto. Es un ave nocturna. Sus grandes ojos, casi siempre negros, brillan como estrellas en la oscuridad. Siempre quieto, inmóvil, contempla la vida desde la rama del árbol. Es como un vigilante nocturno que duerme por el día, y conoce los secretos de la noche. Sus alas son cortas; su cuerpo pequeño se pega a la cabeza, como si fuera un todo, o parte de la rama en donde suele dormir y vigilar. Sus orejas son plumas que, rojas y negras, se levantan graciosas en su cabeza, formando un remolino.

✔ Un **lugar:**

La casa está construida a un lado de la plaza. Viven en ella un hombre delgado, de barba gris, una mujer anciana y una niña de cabellos dorados. Todo aquí parece tranquilo. Sobre las mesas de la casa se ven redondos ramos de rosas. Cuando sopla el aire, se ven en los balcones abiertos las cortinas que salen hacia fuera. En las paredes se ven unas grandes fotografías que representan catedrales, ciudades, jardines. Detrás de la casa hay un jardín lleno de altos árboles y hermosas flores, que cuida la mujer. A la cocina se llega desde el jardín por un pequeño sendero cubierto de cristales.

✔ Un **paisaje:**

Las montañas que dan al norte se llenan de nieve durante el invierno, pero en los meses de verano son como barcos oscuros detenidos en el espacio. Las casas de este pueblo se extienden a lo largo del río. De espaldas a las montañas, a lo lejos, muy lejos, se ve el mar.

¿Cómo debe ser una descripción?

Para describir un objeto es necesario, en primer lugar, atender a sus características más destacadas, esto es, a lo que se puede observar directamente. Estas características responden a las preguntas siguientes:

– ¿Qué **forma** posee?

– ¿De qué **color** es?

– ¿Cuál es su **tamaño**?

– ¿De qué **materia** está hecho?

– ¿Qué **textura** tiene?

– ¿Qué **utilidad** tiene?

Para determinados objetos se pueden añadir otras preguntas:

– ¿Qué **olor** posee?

– ¿Qué **sabor** tiene?, etcétera.

Los textos descriptivos más sencillos tienen en cuenta estas preguntas, que constituyen el esquema básico para describir un objeto cualquiera.

Vamos a hacer una descripción muy fácil y simple siguiendo las preguntas propuestas:

– Es redondo, un poco achatado.

– Es rojo chillón.

– Suele ser del tamaño de una pelota de tenis.

– Es carnoso y jugoso a la vez.

– Su superficie es brillante y tersa, muy lisa.

– Nos da una cantidad enorme de vitaminas, sobre todo de vitamina C.

Esta es la descripción de un tomate, un objeto sencillo. Las seis oraciones, que podemos unir a través de la coordinación o de la yuxtaposición, son las respuestas a las preguntas planteadas anteriormente.

Pues bien, la descripción puede:

- seguir el orden indicado paso por paso, como hemos hecho antes, o bien:
- seguir un orden nuevo, empezando por la textura del objeto para terminar por su tamaño, por ejemplo; además, no es necesario referirse a todas estas cualidades: se puede pasar por alto la que no tenga interés para nuestra descripción.

Observa ahora la descripción del tomate con todas las oraciones unidas por medio de coordinación y yuxtaposición:

El tomate es redondo, un poco achatado, y rojo chillón. Suele ser del tamaño de una pelota de tenis. Es carnoso y jugoso a la vez, y su superficie es brillante y tersa, muy lisa. El tomate nos da una cantidad enorme de vitaminas, sobre todo de vitamina C.

Una vez que aprendemos a exponer las cualidades fundamentales de los objetos, la descripción tiene que ofrecer más detalles e intentar dar una visión subjetiva y más original. Para ello, es necesario fijar nuestra atención en lo que contemplamos. Cada detalle que añadimos es como una pincelada en una pintura.

Vamos a intentar hacer una nueva descripción del tomate, más elaborada, en donde se dan más datos de este fruto, teniendo como punto de apoyo los textos anteriores:

Es el tomate un fruto casi redondo, como un círculo de fuego, algo achatado en su parte inferior y en la superior. De esta sale un ramillete de hojas verdes, muy pequeñitas, que es el punto de unión con la mata. Su color rojo, tan vivo, es señal de una carne sabrosa y jugosa. Pasa del verde al rojo con facilidad, y muestra así su madurez. Su alto valor en vitaminas lo convierten en un alimento muy apreciado e indispensable en nuestras ensaladas.

¿Qué recursos debemos emplear en una descripción?

Los textos descriptivos son estáticos, porque no tienen en cuenta el paso del tiempo.

Por tanto:

- El **presente de indicativo** y el **pretérito imperfecto** son las formas verbales más frecuentes.
- Los **adjetivos** son los elementos predominantes y fundamentales de cualquier descripción.
- El **participio** aparece también con bastante frecuencia, pues cumple la misma función que el adjetivo, al igual que los **sintagmas preposicionales**. Por ejemplo: **con cadenas = encadenados.**
- La **oración de relativo** es otro de los elementos que apoyan la elaboración de una buena descripción; funciona también como un adjetivo, puesto que expresa cualidades, a veces complejas, que no se pueden plasmar mediante el adjetivo.
- La **comparación** ayuda de igual forma a describir un objeto, un paisaje o a una persona.

¿Cómo podemos describir la realidad?

Si observas atentamente cualquier objeto, paisaje o lugar, y vas enumerando las características que lo definen, es decir, informas de cómo es, la descripción es **objetiva.**

Por ejemplo, si se trata de describir una vaca desde un punto de vista objetivo, podemos escribir el texto siguiente, con la ayuda incluso del diccionario o de alguna enciclopedia:

LA VACA es la hembra del toro. Tiene la piel flexible, con muchas arrugas en el cuello. Su cabeza es pequeña, si la comparamos con el volumen de su cuerpo. Tiene unos cuernos más delgados que el toro, una boca grande y un rabo, grueso en su raíz, que va disminuyendo y está en continuo movimiento. La vaca debe comer heno, alfalfa y remolacha para que produzca buena leche.

Para algunas religiones, como la hindú, la vaca es un animal sagrado, y es muy apreciada en culturas como la egipcia. En la India es un pecado matar a este animal o comer su carne. En un antiguo poema hindú (el *Mahabharata*) se dice que el que mate o permita que se mate una vaca, el que coma carne de este animal, pasará en el infierno tantos años como pelos tenga el cuerpo de la vaca sacrificada. La razón que explica esta creencia es que con la leche, la mantequilla y el requesón de la vaca se mantienen todas las criaturas del universo.

Pero también podemos describir las cosas que vemos a nuestro alrededor para expresar los sentimientos y emociones que esos objetos despiertan en nosotros. Entonces la descripción es **subjetiva** e **intimista.** En ambos casos, sin embargo, es necesario buscar un léxico preciso y adecuado.

Veamos un ejemplo de descripción subjetiva. En este caso, la descripción del espejo es casi un pretexto de la autora para recordar su vida pasada desde el día en que se casó, pues este objeto ha sido testigo del paso del tiempo:

> Lo último que colocamos fue el espejo. Era redondo, muy grande y tenía un marco de escayola dorada. Me lo habían regalado entre todas las amigas. Aquel espejo iba a reflejar mil veces mi cara desde entonces: caras tristes, alegres, temerosas, cansadas; con esa costumbre mía de pasar delante del espejo... El espejo todavía lo tengo pero ha ido perdiendo el azogue* con el tiempo y la imagen aparece un poco borrosa, oscurecida por puntitos y manchas.
>
> Josefina Aldecoa, *Historia de una maestra.*
> Barcelona, Anagrama, 1996 (texto adaptado).

* El azogue es la sustancia (mercurio) que se extiende en el cristal para que refleje la imagen.

EJERCICIOS

Describe en seis oraciones:

- Un toro.
- La fachada de la Universidad de Alcalá de Henares o de un edificio importante de tu país.
- La ropa que llevas.
- Un personaje famoso.

2

Narra en ocho o diez líneas:

- Un suceso inesperado (increíble y fantástico).
- Los últimos minutos de un partido de fútbol en el que juega tu equipo.
- La visita a un tablao flamenco.

Imagina que has viajado a España. Escribe una carta a tu familia en donde cuentes tu llegada y hables de tus impresiones sobre este país: el paisaje diferente, el aspecto de la ciudad que ves por primera vez, la forma de hablar de los españoles, sus costumbres...

Diferencia la parte descriptiva de la narrativa en el texto que te presentamos a continuación.

Una tarde de mucho calor, tres niños se escaparon de la escuela para bañarse en el río. Pasaron un par de horas chapoteando en el barro de la orilla y luego se fueron a vagar cerca del antiguo ingenio de azúcar* de los Peralta, que estaba cerrado desde hacía mucho tiempo. El lugar tenía fama de hechizado**, decían que se escuchaban ruidos de demonios y muchos habían visto brujas gritando. Entraron en las ruinas y recorrieron los amplios cuartos de anchas paredes de ladrillo y vigas rotas por la polilla, saltaron por encima de la hierba crecida en el suelo, de la basura, de las tejas podridas y los nidos de culebra. Se daban valor contándose bromas, y empujándose llegaron hasta

* El *ingenio de azúcar* es el lugar en donde se extraía de la caña el azúcar a través de un complicado proceso.

** *Hechizado* quiere decir *embrujado*, es decir, el que sufre la acción directa de una brujería.

la sala de molienda, una habitación enorme abierta al cielo, con restos de máquinas despedazadas, donde la lluvia y el sol habían creado un jardín imposible y donde olieron el rastro penetrante de azúcar y sudor. De pronto oyeron con toda claridad un canto monstruoso. Trataron de retroceder, pero la atracción del horror fue mayor que el miedo y se quedaron escuchando hasta que la última nota se les clavó en la frente. Buscaron el origen de esos extraños sonidos y encontraron una pequeña trampa en el suelo. Desde allí se bajaba a una cueva donde encontraron a una criatura desnuda, con la piel pálida y doblada en muchos pliegues, que arrastraba unos mechones grises por el suelo, que lloraba por el ruido y la luz. Era Hortensia, casi ciega, con los dientes gastados y las piernas tan débiles que casi no podía tenerse en pie.

Isabel Allende, *Cuentos de Eva Luna.*
Barcelona, Plaza & Janés, 1993 (texto adaptado).

Lee el texto y contesta a continuación a las preguntas.

No puedo describir el entusiasmo que sentí en mi alma a la vuelta a Cádiz. En cuanto pude disponer de un rato de libertad, después de que Marcial quedó instalado en casa de su prima, **salí a las calles y corrí por ellas sin dirección fija, embriagado con la atmósfera de mi ciudad querida.** Después de una ausencia tan larga, lo que conocía tan bien me llamaba la atención como cosa nueva y muy hermosa. Todo era para mí simpático y risueño, los hombres y las mujeres, los niños, hasta las casas, pues mi imaginación juvenil observaba no sé qué de personal y animado; los veía como seres sensibles, y me parecía que gozaban del general contento por mi llegada, remedando en los balcones y las ventanas las facciones de un semblante alborozado. Mi alma veía reflejar en todo lo exterior su propia alegría. **Corría por las calles con gran ansiedad, como si en un minuto quisiera verlas todas. Recorrí las murallas y conté todos los barcos fondeados a la vista. Hablé con los marineros que hallé a mi paso. Llegué por fin a la Caleta y allí mi alegría no tuvo límites. Bajé a la playa y quitándome los zapatos, salté de roca en roca.** La movible superficie del agua despertaba en mi pecho sensaciones apasionadas. Sin poder resistir la tentación, y empujado por la misteriosa atracción del mar, cuyo elocuente rumor me ha parecido siempre una voz que pide dulcemente en el buen tiempo o llama con cólera en la tempestad, **me desnudé a toda prisa y me lancé en él como quien se arroja en los brazos de una persona querida.**

Benito Pérez Galdós, *Trafalgar*. Madrid, Alianza Editorial, 1981.

a) ¿Qué modalidad domina en la parte del texto destacada en negrita?

b) ¿Cuáles son los fragmentos descriptivos más significativos?

c) ¿A qué tipo de descripción pertenecen?

d) ¿Qué función cumplen dentro del relato?

Lee el texto y haz después los ejercicios que proponemos.

La tarde está clara. La carretera serpentea, con curvas, en lo hondo de los barrancos; el río refleja la silueta de los chopos junto al camino. Las montañas cierran el horizonte. Arriba, en las cumbres, se ve una gran roca; más abajo, entre el espesor de los castaños, se extiende una pradera.

a) ¿Qué tipo de texto es? Justifica tu respuesta.

b) Añade un adjetivo calificativo (adecuado y pertinente) a los sustantivos subrayados.

c) Sustituye los adjetivos que has utilizado en el apartado anterior por otros más creativos y sugerentes.

d) Sustituye ahora esos adjetivos por oraciones que digan lo mismo.

e) Escribe ahora un nuevo texto utilizando algunos de los adjetivos y las oraciones que has empleado anteriormente.

Lee atentamente este texto. Observa que se trata de la descripción de una casa situada en un barrio madrileño. Es una descripción perfectamente organizada, puesto que sigue un recorrido que va desde el exterior hacia el interior de la casa.

La casa estaba entre la glorieta de Quevedo y los jardines del canal de Isabel II, en la esquina de una calle. La fachada estaba cubierta en parte por una enredadera. En el piso bajo se veía un ventanal. La puerta se hallaba adornada con una marquesina de cristales y a los lados dos estatuas. En el piso bajo había una cocina, un comedor y un salón. El salón era elegante e irregular; tenía cuatro paredes y el suelo estaba hecho de baldosas. El techo era lo más lujoso de la sala: tenía alrededor una moldura interrumpida por medallones con cabezas de guerreros y guirnaldas* de flores y frutos. Desde la azotea se veía una plaza.

Pío Baroja, *Las noches del Buen Retiro.*
Madrid, Espasa Calpe, 1982 (texto adaptado).

- **Amplía esta descripción con nuevos datos, que deben mantener el carácter de lo que se describe: una casa por la que ha pasado el tiempo. Para ello, añade adjetivos (u oraciones) a los sustantivos subrayados que sean adecuados al ambiente que el autor quiso reflejar.**

Lee esta pequeña historia sin final. Después, imagina y redacta en diez líneas dos formas de acabarla.

Después, el marqués contó la historia de un banquero de París, al que conoció en un sanatorio. Este banquero era muy rico. Al curarse de la manía de la morfina, apareció como un invertido. Se había revelado como un homosexual. Entonces, en una casa de citas regentada por una señora de gran apellido, alquiló un salón y lo amuebló al estilo oriental. Allí el banquero se disfrazaba, se vestía de mujer, se pintaba y se ponía

* Corona abierta de flores y/o frutas que sirve de adorno.

peluca. A veces salía en coche e iba tan transformado que no lo conocían ni sus amigos. El banquero llevaba una doble vida. Una noche, un turco salió de aquella habitación oriental y dijo a la dueña de la casa:

–El banquero se ha puesto enfermo. Voy a buscar un médico...

Pío Baroja, *Las noches del Buen Retiro.*
Madrid, Espasa Calpe, 1982 (texto adaptado).

Completa el texto con los adjetivos adecuados. Recuerda que hay muchas posibilidades diferentes de las del texto original.

–Ahí sube doña Adriana –dijo su ayudante.

Su silueta estaba medio .... en la luz .... y ...., a lo lejos. El sol reverberaba en los tejados de pizarra, allá abajo, y el campamento parecía un .... espejo. Sí era la bruja. Llegó jadeando ligeramente y respondió al saludo del capitán con un tono ...., sin mover los labios. Su pecho grande, ..., subía y bajaba armonioso y sus .... ojos los observaban sin pestañear. No había asomo de inquietud en esa mirada ...., ..., ... Tenía una cara .... y avinagrada y una boca como una cicatriz. La señora Adriana resopló y se dejó caer sobre una piedra .... Tenía unos pelos ...., sin canas, ... y sujetos en su nuca con una cinta de colores, como las que los indios amarraban en las orejas de las llamas*.

Mario Vargas Llosa, *Lituma en los Andes.*
Barcelona, Planeta, 1997 (texto adaptado).

■ **Realiza ahora el mismo ejercicio, pero empleando el adjetivo antónimo –el contrario– del que has empleado en el punto anterior (es posible que tengas que cambiar algún otro elemento de las oraciones para que el texto tenga sentido).**

* Animal doméstico de América del Sur. Es un mamífero rumiante.

Reconstruye el orden original de estos fragmentos de dos textos distintos. Presta atención a las formas verbales o cualquier otro recurso empleado.

a)

a los treinta empiezas a pensar;

Cuando llegas a los veinticinco, añoras lo que te fue indiferente a los veinte;

y a los cuarenta el corazón se te encoge,

y miras con envidia las parejas de enamorados que pasan bajo tu ventana.

a los treinta y cinco ya no piensas, lloras,

Y a los cuarenta y cinco, que son los que yo tengo, te ocultas en la cocina a hacer tartas de manzanas para las sobrinas que no deseas que sigan el mismo ejemplo que tú.

Eso lo decimos todas las mujeres a los veinte años, ¿sabes?

b)

Almorzaron allí mismo, y volvieron al atardecer sin haber pescado nada.

Bernal llevó dos sillitas plegables,

Y Matías fue.

Una rana, un pájaro, una nube.

Bernal vive solo, y algún domingo sale a pescar por los pantanos de los alrededores de Madrid.

y a mirar el agua y a hablar ocasionalmente de las cosas que veían.

Y Matías dijo: «Está bien», porque es verdad que le había parecido un modo muy agradable de pasar el domingo.

y los dos se sentaron a fumar

Un día hace años, Bernal le dijo: «Vente conmigo, ya verás cómo se pasa bien».

montó las cañas

«¿Qué te ha parecido?», le preguntó Bernal.

Los signos de puntuación son elementos indispensables de todo discurso. Pon los signos necesarios en el siguiente texto.

Le pregunté si deseaba algo pero el hombre se había quitado de la ventana dejé el periódico sobre la mesa y me dirigí a la casa el hombre había gritado que subiera y eso era lo que deseaba comencé a subir la escalera la estaba subiendo y pensaba en mis cosas es lo que un hombre debe hacer siempre pensar en sus cosas y no importa que se trate de cosas absurdas para otros si son las cosas de uno son cosas interesantes yo señor ya me convencí de que no soy muy listo me lo decía mi padre aunque mi padre era barrendero municipal y a lo mejor no tenía mucha formación para decir aquello era lo que decía mi padre todas las mañanas hasta que un día fiché* por el Real Madrid... y se acabaron todos mis problemas.

Antonio Prieto, *Tres pisadas de hombre.*
Barcelona, Planeta, 1976 (texto adaptado).

Escribe los verbos entre paréntesis en la forma verbal adecuada:

A las nueve en punto de la mañana del sábado *(bajar, yo)* .... al portal. Alejandro me *(esperar)* ...., sentado al volante de su coche y *(hojear)* .... el periódico. *(Hacer)* .... una mañana soleada y limpia y no *(haber)* .... apenas gente por la calle. *(Dejar, él)* .... mi bolsa en el maletero y *(encender, él)* .... el motor. *(Ir, nosotros)* .... a recoger al tío Jorge, que *(pasar)* .... la noche en un hotel que *(estar)* .... acorde con el proceso irreparable de ruina que *(preocupar)* .... a mi madre. En el pequeño y oscuro vestíbulo del hotel, en una bocacalle de la Gran

* *Fichar* significa ser admitido por un club deportivo para jugar en el mismo.

Vía, nos *(esperar)* .... mi tío, sentado en una butaca tapizada de plástico color verde. La chica de la recepción *(estar)* .... hablando con él. Los dos *(reírse)* .... Me *(saludar, él)* ...., *(agarrar, él)* .... su bolsa y *(despedirse, él)* .... de la recepcionista con una inclinación caballerosa de cabeza, deseándole un fin de semana agradable.

El tío Jorge *(ir)* .... vestido con ropa de sport, vieja ropa de sport, algo invernal: pantalón de pana, camisa de franela, chaleco de lana gruesa y zapatos de ante. Su fidelidad a los cánones de la moda de su tiempo *(ser)* .... inquebrantable y me *(conmover)* .... Me *(preguntar)* .... si con ese atuendo y esos modales no *(resultar)* .... una figura un poco ridícula, incluso patética, pero la chica de la recepción lo *(mirar)* .... sin ninguna ironía. Tal vez mi madre *(tener)* .... razón, tal vez *(ser)* .... todavía un hombre atractivo.

Soledad Puértolas, *Queda la noche*.
Barcelona, Anagrama, 1998 (texto adaptado).

Imagina que llegas a una zona residencial y tranquila, donde vas a pasar unas vacaciones. Describe todo lo que ves a tu llegada: desde los edificios, los paseos, la gente que te encuentras así como su actitud, hasta los detalles más pequeños.

Fíjate bien en las expresiones de lugar –preposiciones, adverbios– que sitúan los objetos en el espacio, así como en los adjetivos que debes utilizar.

- **Luego, subraya en la descripción que realices las expresiones que indican situación espacial.**

Imagina que has sido testigo de un robo de joyas, pero no sabes qué hacer: ir a la policía o contárselo a alguien antes. Relata en una página de tu diario íntimo lo sucedido y expresa tus dudas.

15 Di a qué tipo de texto corresponde cada uno de los fragmentos siguientes.

a)

El dado es un pequeño cubo marcado en sus caras con puntos negros en número del 1 al 6. Es blanco, por lo que los puntos negros destacan aún más. Es un elemento indispensable en la mayor parte de los juegos de azar. Suelen emplearse dos y se colocan en un recipiente cilíndrico, abierto por un extremo, llamado cubilete; luego se agitan y se lanzan sobre la mesa de juego. El juego de dados se conoce desde tiempos remotos. Se han encontrado dados exactamente iguales a los actuales en las antiguas tumbas de los egipcios. Los romanos también utilizaron los dados. Consistían, como ahora, en pequeños cubos en cuyas caras aparecía señalado el número, de tal manera que los de los lados opuestos sumasen 7: si era 6 la cifra superior, la contraria era 1, si era 5, la inferior era 2, y si era 4, entonces la inferior era 3.

b)

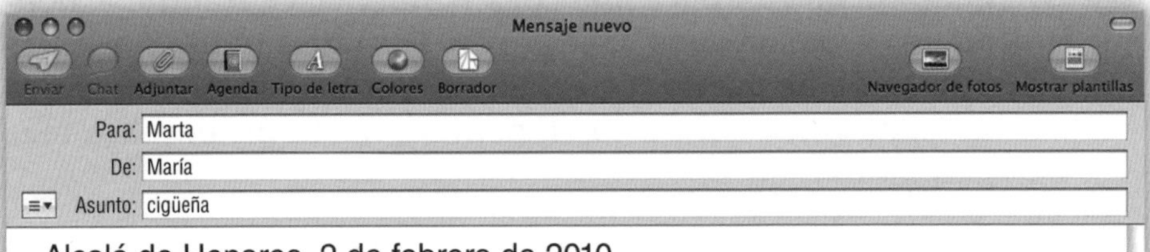

Alcalá de Henares, 2 de febrero de 2010

Querida Marta:

Vuelvo a escribirte antes de recibir tu respuesta para contarte el episodio que me ocurrió esta mañana. Todavía no se me ha pasado el susto, pues de verdad te digo que jamás en mi vida había estado tan cerca de un ataque de nervios.

Verás: como te decía, mi apartamento tiene una pequeña terraza, que da a una plaza pequeñita y donde se encuentra una iglesia de ladrillo y tejado de pizarra. Pues bien, esta mañana me despertó un ruido extraño, como de revoloteo de pájaros en mi terraza. Me levanté y corrí la cortina... y allí estaba, no un pájaro o una paloma, sino una cigüeña, sí, no te miento, una cigüeña enorme, de casi un metro de altura, que intentaba volar, pero no podía. Mi grito despertó a todos los vecinos, que acudieron a ver lo que pasaba. En pocos minutos, todo el edificio se agolpaba en mi dormitorio para ver de cerca a esta ave que adorna, inmóvil y majestuosa, los edificios de esta noble ciudad. No puedes ni imaginarte qué largo y flexible es su cuello. El colorido de su plumaje blanco y negro es nítido y destaca más al lado del rojo de las patas y el pico. Cuando intentaba volar, observé que sus alas son anchas y largas, y que de sus extremos salen plumas, como dedos que se mueven armoniosamente.

Vinieron del Ayuntamiento para llevársela y curarle una pata, que debió de lastimarse con un cable de la luz. Mis vecinos, acostumbrados a su presencia en la ciudad, me contaron que son los animales más fieles que existen, pues cuando crían, buscan una pareja a la que nunca abandonan. Y si su pareja muere, pronto también mueren ellas «de tristeza», según dice la gente de este lugar.

Escríbeme.

Besos

c)

Se ha asomado una cigüeña...

Alcalá de Henares, Carlos Solís

Ayer por la mañana una cigüeña de gran estatura amaneció en la terraza de un moderno edificio que da a la plaza de Las Comendadoras. Al parecer, debió de tropezar con algún cable eléctrico que le impidió remontar vuelo y cayó en un balcón cercano a la torre de la iglesia, en donde anida habitualmente. El desconcierto y la alarma de los vecinos dificultó las tareas de rescate que el Servicio de Protección de Animales de este Ayuntamiento emprendió con bastante rapidez. Y es que, a pesar de estar habituados a convivir con las cigüeñas, nunca hemos contemplado tan de cerca estas imponentes aves que cruzan a diario nuestro cielo. Los ecologistas, que se presentaron inmediatamente en el lugar de los hechos, aprovecharon para solicitar una mayor protección y atención a estos y otros animales. La inquilina del apartamento en cuya terraza se encontró la cigüeña es estudiante de filología española y nos hizo recordar la imagen que Antonio Machado había descrito hace ya algunas décadas: la cigüeña asomada, no al campanario, sino al moderno balcón de hierro y cemento.

d)

Acaba de salir de su casa, que forma parte de un enjambre de barracas situadas bajo la última revuelta, en una plataforma colgada sobre la ciudad: desde la carretera, al acercarse, hay una sensación de caminar sobre el abismo hasta descubrir las casitas de ladrillo. Sus techos de uralita* empastados de alquitrán están sembrados de piedras. Pintadas con tiernos colores, su altura no sobrepasa la cabeza de un hombre y están dispuestas en hileras que apuntan hacia el mar, formando callecitas de tierra limpia, barrida y regada con esmero. Algunas tienen pequeños patios donde crece una parra. Abajo, al fondo, la ciudad se estira hacia la inmensidad del Mediterráneo. Bajo brumas y rumores sordos de industrial fatiga, asoman las botellas grises de la Sagrada Familia, las torres del hospital de San Pablo y, más lejos, las negras agujas de la Catedral. El puerto y el horizonte del mar cierran el borroso panorama, y las torres metálicas del trasbordador, la silueta agresiva del Montjuich.

Juan Marsé, *Últimas tardes con Teresa*.
Barcelona, Seix Barral, 1979 (texto adaptado).

e)

Al sonar las campanadas del reloj del pasillo, se despertó de repente; cerró la ventana, de donde entraba un intenso olor a calamares fritos de la tasca ** **de la planta baja; dobló los paños y las toallas, salió con un montón de platos y los dejó sobre la mesa del comedor; luego guardó los cubiertos, el mantel y el pan que sobró en un aparador; apagó el horno, salió de la cocina y fue a sentarse en la mecedora del balcón. Para ella la vida era una lucha callada y penosa que nadie reconocía.**

* *Uralita* es un material de bajo coste empleado en la construcción.

** Bar típico de muchos lugares de España.

Escritura

Teoría y práctica

A2

Cuando escribimos se siente, con mayor o menor conciencia, lo que llamaría yo la responsabilidad ante la hoja en blanco; es porque percibimos que ahora, en el acto de escribir, vamos a elevar el lenguaje a un plano distinto del hablar. Hablamos casi siempre con descuido, escribimos con cuidado. Casi todo el mundo pierde su confianza con el lenguaje, su familiaridad con él, apenas coge una pluma.

Pedro Salinas

1 TEXTOS BREVES: Anuncios, Avisos, Notas, Mensajes

Los textos breves tienen que ser sencillos y se escriben cuando el destinatario no está presente. Manifiestan una sola idea y se redactan con mucha precisión para que sean comprendidos fácilmente por el receptor. A veces, en determinados ambientes –residencias de estudiantes, albergues, colegios mayores– la comunicación se realiza mediante notas colocadas en un lugar conocido por los interlocutores. Allí se transmiten mensajes, se dan explicaciones o respuestas, se anuncian cambios de horarios, como se nos cuenta en el siguiente fragmento:

> La pizarra del hall se repleta con notas diarias: desde aquellos que solicitan ayuda para la cocina o la huerta, hasta el aviso de partida de algún huésped. Allí se inscriben las mujeres para una determinada tarea, se dejan recados, se ofrecen servicios. Ella se anota para hacer la compra en el pueblo.
>
> Marcela Serrano,
> *El albergue de las mujeres tristes.*
> Madrid, Alfaguara, 1999 (texto adaptado).

- **REDACTAR**
  - Una invitación
  - Un mensaje
  - Un diagnóstico
  - Una recomendación
- **DAR**
  - Una explicación
  - Instrucciones
  - Un consejo
  - Una advertencia
  - Una orden / Un aviso
- **PEDIR**
  - Ayuda
  - Permiso
  - Disculpas
- **EXPRESAR**
  - Agradecimiento
  - Condolencia
  - Un ruego
  - Una felicitación
Una promesa

Estos textos breves tienen entonces un determinado significado; el autor manifiesta una intención muy precisa cuando los escribe. Para ello cuenta con las siguientes expresiones lingüísticas:

- Para **REDACTAR / TRANSMITIR SIMPLEMENTE UN MENSAJE:**
  - *Te / le informo...*
  - *Te / le comunico...*

- Para **DAR UNA ORDEN:**
  - *Te / le ordeno; Te / le mando...*
  - *Le exijo una explicación o el pago de una deuda* (con un cierto tono de reclamación)
  - *Se prohíbe / Queda terminantemente prohibido...*
  - La interrogación: *¿Quieres cerrar la puerta y entrar de una vez?*

- Para **DAR UN CONSEJO O UNA ADVERTENCIA:**
  - *Yo, en tu lugar, ...*
  - *Yo que tú...*
  - *Deber* + infinitivo
  - *Procura...*
  - *Cuídate de...*

- Para **DAR UN AVISO:**
  - *Se comunica / Comunicamos...*
  - *Se informa / Informamos...*

- Para **PEDIR DISCULPAS / DISCULPARSE:**
  - *Pido disculpas...*
  - *Lo lamento.*

- Para **EXPRESAR AGRADECIMIENTO / AGRADECER:**
  - *Agradezco / Doy las gracias...*

- Para **EXPRESAR UN RUEGO / UNA PETICIÓN:**
  - *Te pido...*
  - *Os rogamos / Ruego...*
  - *Te / os / le suplico...* (si es petición extrema)
  - La interrogación: *¿Tienes un momento libre, por favor?*

- Para **EXPRESAR UNA FELICITACIÓN / FELICITAR:**
  - *Te felicito / Me alegro de...*
  - *Te doy la enhorabuena...*

- Para **EXPRESAR CONDOLENCIA:**
  - *Siento mucho / Lo siento...*
  - *Te expreso mis condolencias...*

- Para **HACER UNA PROMESA:**
  - *Te prometo que...*
  - *Me comprometo a...*
  - *Te doy mi palabra...*

Los textos que expresan una **orden** suelen utilizar la oración impersonal, porque de esta manera se oculta el verdadero sujeto de la orden o imposición. Estos textos obligan a actuar de una determinada forma al destinatario o receptor. Por eso la orden puede negar una actividad o, por el contrario, permitirla. Entonces, se emplearán los verbos *permitir* o *autorizar.*

Es importante también el empleo del imperativo en todos aquellos textos que tengan algún sentido de **orden** o **mandato, advertencia, recomendación** (para hacer o no hacer algo), e incluso para **dar instrucciones** sobre cualquier actividad.

Veamos, ahora, algunos ejemplos:

I Una disculpa

> La avería del autobús en que viajaba me impidió llegar a tiempo a la reunión. Sé lo importante que era para usted mi asistencia, por eso **le pido disculpas.**

II Una instrucción: instrucciones de uso, de comportamiento, recetas de cocina

a) Se dan **instrucciones** siempre que se quiere enseñar el uso de cualquier aparato o a manejar una máquina; por ejemplo, a utilizar una lavadora, una aspiradora o cualquier electrodoméstico; pero también se dan instrucciones sobre cómo comportarse en un lugar que exija de nosotros una conducta determinada, sea de precaución o de respeto: por ejemplo, la visita a una planta de transformación de residuos químicos o la visita a una sinagoga.

Las instrucciones deben ser **claras, breves** y **precisas,** es decir, deben indicar con claridad y sin muchos detalles superfluos la mejor manera para hacer algo o para guiar nuestro comportamiento.

Las instrucciones conllevan un consejo y, a veces, una obligación; por ello las formas verbales que normalmente se utilizan son:

- El imperativo: *deja / no dejes.*
- El infinitivo: *no fumar.*

- El futuro, que expresa la proyección de las instrucciones hacia un tiempo futuro.
- Las perífrasis de obligación: *hay que* o *se debe* + infinitivo, o la forma negativa, *no se puede* o *no se debe* + infinitivo (Ej.: *No se puede fumar*).

He aquí un ejemplo de las instrucciones para lavar con un detergente, en donde encontrarás el imperativo y el infinitivo con sentido de mandato:

LAVADO A MANO

Diluir completamente en el agua y **poner** la ropa en remojo. **No poner** en remojo la lana, la seda ni los tejidos que destiñen. Para obtener buenos resultados, **seguir** atentamente estas instrucciones.

LAVADO A MÁQUINA

Para todos los tipos de agua y la ropa poco sucia, **añadir** una dosis de detergente. Para la ropa muy sucia, 1 y 1/2 dosis. **No ingerir, manténgase** fuera del alcance de los niños. En caso de contacto con los ojos, **lávese** inmediata y abundantemente con agua y **consulte** a un oculista.

Ahora, lee el siguiente texto, donde Dios, en un tono solemne, le da instrucciones a Noé para salvarlo del diluvio universal; aquí se alternan las formas verbales de imperativo y futuro (incluso la perífrasis *voy a traer*), según hemos indicado anteriormente.

> Y Dios dijo a Noé: «**Construye** un arca de maderas resinosas, haces al arca una cubierta y pones la puerta en su costado y haces un primer piso, un segundo y un tercero. **Voy a traer** el diluvio y las aguas exterminarán todo cuanto existe en la Tierra. Pero contigo estableceré mi alianza. **Entrarás** en el arca, tú y tus hijos, tu mujer y las mujeres de tus hijos; **mete** contigo una pareja de animales de cada especie para que sobrevivan. **Procúrate** toda clase de comida para ti y para ellos». Así lo hizo Noé y ejecutó todo lo que le había mandado Dios.

6) Otro tipo de instrucciones son las **recetas de cocina.** Una receta de cocina es un texto muy particular que combina elementos narrativos con las instrucciones para aprender a cocinar los alimentos. El tema es siempre el mismo: la cocina y su entorno. Las recetas de cocina son normas de uso que se repiten de situación en situación, y van destinadas a un receptor diferente cada vez; por eso se emplean las oraciones con *se* –pasivas reflejas e impersonales–, a través de las que se omite el verdadero sujeto de la acción *(Se rehoga la cebolla, se trocean los pimientos, se pone a calentar el aceite,* etcétera).

Deben ser claras y breves, pero completas, proporcionando detalles para facilitar la actividad en la cocina.

Suelen aparecer organizadas en dos partes:

- Los ingredientes.
- La forma de preparación

La primera parte es una **enumeración** de los componentes, o materia prima, con los que se prepara el plato que vamos a cocinar. La segunda es la **narración** de todo el proceso. A veces, se nos da algún consejo concreto. En este ejemplo, el consejo aparece en forma de «secreto».

PATATAS A LA RIOJANA*

Ingredientes:

- 3 patatas
- 2 cebollas
- 1/2 pimiento verde y 1/2 pimiento rojo
- un chorrito de aceite de oliva
- pimentón dulce, nuez moscada
- comino y tomillo

Preparación:

Se rehoga la cebolla y, cuando empieza a soltar su jugo, se añaden los pimientos bien cortaditos para que se vayan haciendo lentamente. Finalmente, se echan las patatas y un majado de ajo con las especias en un litro aproximado de agua o caldo vegetal. Se dejan cocer y, cuando las patatas están ya cocidas, se dejan reposar durante una media hora.

Secreto: es aconsejable partir las patatas haciéndolas crujir, para que suelten el almidón y estén más gustosas.

Ramón J. Gomariz Miralles, *La cocina de Ramón*.
Murcia, Terriente, 1998 (texto adaptado).

III UNA ADVERTENCIA

Asunto: JEFE

Ha llamado el jefe. Quiere verte hoy por la mañana con los planos de la casa de la avenida de Anaga. La vivienda que da a la calle de La Marina tiene una instalación eléctrica de pena, **mira que te dije** que no llamaras a estos técnicos. Sube pronto a ver al jefe y no le lleves la contraria.
Andrea.

* La Rioja es una comunidad autónoma del norte de España cuya capital es Logroño. Es famosa por sus buenos vinos y su tradición en el arte de cocinar.

IV UN MENSAJE

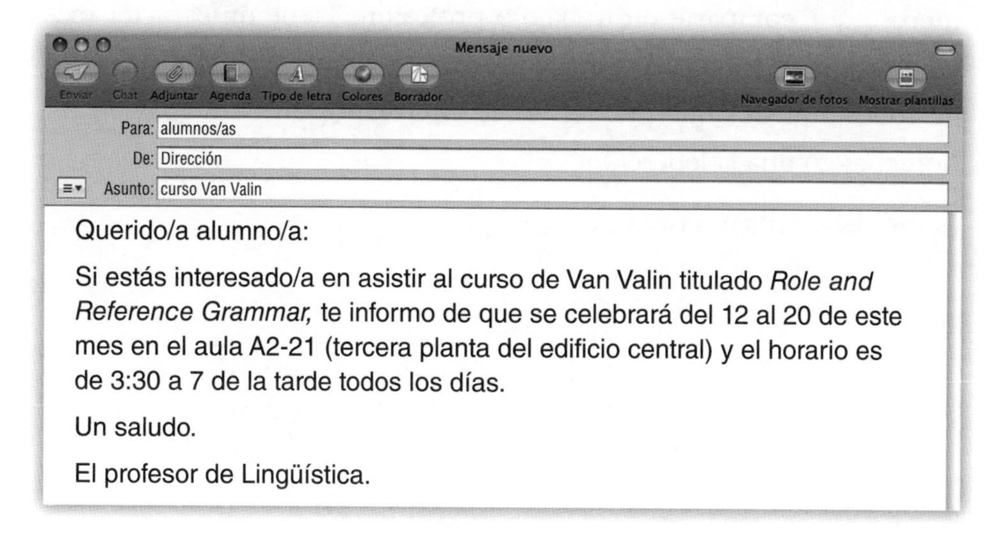

Mensaje nuevo

Enviar Chat Adjuntar Agenda Tipo de letra Colores Borrador Navegador de fotos Mostrar plantillas

Para: alumnos/as

De: Dirección

Asunto: curso Van Valin

Querido/a alumno/a:

Si estás interesado/a en asistir al curso de Van Valin titulado *Role and Reference Grammar,* te informo de que se celebrará del 12 al 20 de este mes en el aula A2-21 (tercera planta del edificio central) y el horario es de 3:30 a 7 de la tarde todos los días.

Un saludo.

El profesor de Lingüística.

V UNA ORDEN

Queda terminantemente prohibido encender fuego en todo el recinto del Parque Natural de las Tasugueras (término municipal de Quintanar). **La infracción se considerará delito mayor y como tal será denunciada.**

La dirección de ICONA

VI UNA INVITACIÓN

Las invitaciones suelen redactarse para actos y celebraciones familiares o entre amigos. Entonces, poseen un tono directo y coloquial:

– *Te invito a cenar esta noche en casa.*

– *Te proponemos hacer un viaje con nosotros.*

– *Me gustaría que me acompañaras al cine.*

– *¿Quieres venir a cenar esta noche a la nueva pizzería de Las Ramblas?*

En otras ocasiones, la invitación va destinada a un grupo más numeroso que comparte un trabajo o profesión. Tiene un carácter más general y se redacta casi como si fuera un aviso, para el conocimiento de todos aquellos que pueden estar interesados en participar en un homenaje o una celebración.

✔ INVITACIÓN **PÚBLICA**

El grupo de teatro «La Gaviota» **invita** a todas aquellas personas que han colaborado en la realización de la fiesta barroca a una comida, que celebraremos el próximo domingo en la Residencia de Estudiantes de Madrid.

Os rogamos que os apuntéis en la secretaría del Centro.

¡Os esperamos!

✔ INVITACIÓN **FORMAL**

El Museo de Bellas Artes de Sevilla

Se complace en invitarle a la recepción como académico del ilustre Profesor Dr. José Pérez, Catedrático de Arte de la Universidad de Córdoba, quien pronunciará la conferencia titulada *El arte barroco en los conventos cordobeses*, que tendrá lugar el jueves 26 de octubre, a las 20 horas, en nuestra sede de la calle Sierpes, 4 (Sevilla).

Confiando contar con su presencia, reciba un cordial saludo.

En las invitaciones formales a un acto público, a una recepción o a un acontecimiento cultural destacado, se utilizan fórmulas muy precisas, que se repiten siempre. Por tanto, hay menos libertad a la hora de escribir este tipo de invitaciones.

VII Un ruego

Se ruega a los alumnos de 3.° con asignaturas pendientes se pasen por secretaría para cumplimentar la matrícula de estas asignaturas en un plazo de cinco días.

VIII Un consejo

Procura no comer mariscos en el viaje a Galicia. He oído por la televisión que la fuga de petróleo de un barco ha contaminado las rías gallegas. **Yo, que tú,** no los comería. Así que **no pruebes** los langostinos estos días si no quieres tener problemas.

El consejo puede manifestarse también a través de la expresión *cuidarse de...* algún peligro. En ese caso se considera una forma culta.

Si vas al Caribe estas vacaciones, **cuídate del** sol, **cuídate de** exponerte largas horas en la playa, porque puedes pillar una insolación de graves consecuencias.

IX UNA RECOMENDACIÓN

La recomendación puede tener dos significados, en cierto modo, diferentes:

a) Para **aconsejar a alguien** que haga o deje de hacer algo.

> **Si recibes y lees** estos libros con el mismo afecto e interés con que han sido escritos; si como has pensado siempre es conveniente ayudar a los demás, **no debes caer** en estos errores.

b) Para **elogiar o alabar a otra persona,** es decir, para hablar bien de alguien y conseguir algún favor, por ejemplo, un empleo. En un ámbito privado, y con un tono familiar, puede escribirse la recomendación que, a continuación, te ofrecemos. Si se redacta en tono más objetivo y se añaden más datos, es decir, si es más precisa, puede convertirse casi en un informe.

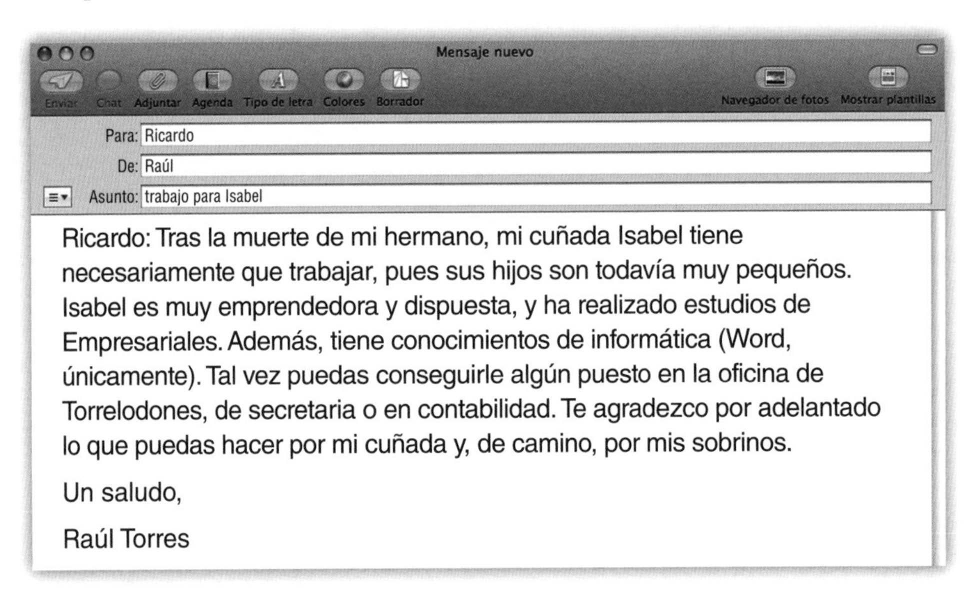

Mensaje nuevo

Para: Ricardo
De: Raúl
Asunto: trabajo para Isabel

Ricardo: Tras la muerte de mi hermano, mi cuñada Isabel tiene necesariamente que trabajar, pues sus hijos son todavía muy pequeños. Isabel es muy emprendedora y dispuesta, y ha realizado estudios de Empresariales. Además, tiene conocimientos de informática (Word, únicamente). Tal vez puedas conseguirle algún puesto en la oficina de Torrelodones, de secretaria o en contabilidad. Te agradezco por adelantado lo que puedas hacer por mi cuñada y, de camino, por mis sobrinos.

Un saludo,

Raúl Torres

X UN DIAGNÓSTICO

Es el escrito que se redacta para explicar las características de la avería de una máquina –de un coche, de un ordenador, de un lavavajillas...–, así como el que redacta el médico para determinar una enfermedad según los síntomas presentados.

Observa este ejemplo de un diagnóstico escrito por un mecánico en un taller de reparación de automóviles:

TALLERES **«HERMANOS PEDRAZA»**

El coche que Ud. me entregó ayer tiene un fallo en el circuito de refrigeración, lo que puede producir una importantísima avería en el funcionamiento del motor. Hay que cambiar una pieza, que viene desde Alemania. El coste de la reparación es de 1.000 euros (más IVA). Necesito urgentemente su firma para tener la conformidad, hacer el pedido y arreglar la avería.

El mecánico

XI AVISO

Los **avisos** –o **aviso al público**–, las **notas** o **anuncios** son textos breves de **carácter público,** que transmiten un mensaje de vital importancia.

Las palabras *aviso, nota* o *anuncio* aparecen normalmente al principio del texto y bien destacadas (con mayúsculas, subrayadas o con otro tipo de letra). Esto nos obliga a fijar nuestra atención y a leer inmediatamente el texto.

Su rasgo básico y característico es el empleo del **futuro** o de alguna fórmula que indique este tiempo. Además, como a veces se trata de comunicar algún cambio que puede ocasionar trastornos o inconvenientes al público, se debe utilizar una **fórmula de cortesía** para atenuar tales molestias.

Veamos algunos ejemplos:

Por motivos de fuerza mayor no se pudo realizar la semana pasada la fumigación del edificio, por lo cual se ha pospuesto al día de hoy: VIERNES 26 DE MAYO DE 2001. Y, por ello, **se recuerda** a todo el personal que debe desalojar dicho edificio antes de las 16:30 horas.

Gracias.

✔ AVISO DE **MÁXIMA DIFUSIÓN**

POLICÍA LOCAL

SANTA CRUZ DE TENERIFE

Comunicamos a usted que **se prohibirá** accidentalmente el estacionamiento de vehículos en este lugar el próximo 12 de septiembre desde las 10:00 horas hasta las 18:00 debido a la CONCENTRACIÓN PASEO ROMERO. **Rogamos disculpen las molestias.**

Muchas gracias por su colaboración.

✔ AVISO AL PÚBLICO

Correos y Telégrafos

Se comunica al público en general que estas oficinas de Correos **se trasladarán** temporalmente a partir del próximo 6 de noviembre a la avenida de Valladolid, 14 (junto al ambulatorio de la Seguridad Social), debido a la reforma total del edificio de la Plaza de España.

Se comunica asimismo a todos los usuarios que el servicio de apartados **seguirá funcionando** únicamente por las mañanas en este edificio (entrada por Martínez Campos) hasta el 1.° de diciembre de 2001, fecha en que **será trasladado** a la nueva sede de la avenida de Valladolid.

Rogamos disculpen las molestias que este traslado pueda causar.

La Dirección

XII NOTA DE AGRADECIMIENTO

A veces la manifestación de agradecimiento sobrepasa los límites personales, esto es, el que se siente agradecido necesita comunicarlo a todo el mundo. De ahí que ciertas notas se hagan públicas, por el deseo expreso de quien la escribe.

Veamos una nota de agradecimiento que se publica en un periódico, con motivo de la muerte de un joven que padecía una enfermedad incurable.

Observa cómo el agradecimiento se mezcla con el sentido fúnebre que esta nota posee.

> **La familia del joven Luis Herrera quiere hacer público su agradecimiento a todas aquellas personas que en esos momentos tan tristes nos han acompañado y ayudado en una situación tan dolorosa.**
>
> **En estos momentos hemos sentido la amistad y el apoyo que tanto se necesitan, sabiendo que nuestro Luis siempre estará con nosotros y que de su paso por esta vida sólo nos quedarán momentos alegres.**
>
> **Especialmente queremos agradecer a todo el personal de la planta de Cardiología, médicos y enfermeras, el cuidado y la atención que le dispensaron a Luis en su penosa enfermedad, pero sobre todo el cariño con que lo trataron.**
>
> **Rogamos una oración para que su alma descanse en paz.**

El anónimo y el *graffiti* o pintada: dos tipos especiales de escritos breves

Tal vez, no tengas nunca la necesidad de escribir ninguno de estos textos. Pero tal vez sí.

Ambos tienen rasgos comunes:

- El autor oculta su identidad, es decir, no firma, no quiere dejar su nombre.
- Contienen una denuncia o una amenaza.

Sin embargo, el **anónimo** va dirigido a una persona o a una entidad. Está singularizado. Y además solo es conocido por el destinatario; es un texto, por tanto, de **carácter privado.**

El que escribe un anónimo quiere revelar algún secreto, señalar alguna irregularidad en la actuación de algunas personas, pero también puede conllevar algún tipo de amenaza.

✔ Anónimo a un profesor

Usted ha calificado con la máxima nota el trabajo del alumno X, de 4.° de Filología. Debe saber que ese trabajo ha sido copiado íntegramente de un texto de K.B., en danés, que no ha sido traducido al español.

En cambio, los ***graffiti,*** llamados coloquialmente **pintadas,** manifiestan el sentir de su autor o autores.

Es la forma más antigua de **expresar públicamente** la protesta, la denuncia o incluso la amenaza.

Las paredes, los muros, las vallas se convierten en el soporte material de este tipo de textos, que han de ser muy breves para ser eficaces.

graffiti

Veamos algunos ejemplos de pintadas:

✔ DENUNCIA

Uneyco corta los pinos y tú pagas la factura

✔ AMENAZA

¡Juan Ruiz, cuida de tu perro!
¡Antonio, cierra la boca!

EJERCICIOS

1 **Redacta:**

- Un aviso de alerta máxima por incendio forestal.
- Una invitación a la inauguración de una exposición.
- Instrucciones para utilizar el chaleco salvavidas.
- Una orden por la cual no se permita fumar en una central eléctrica.
- Una recomendación para evitar la gripe.

2 **Completa los espacios con la expresión adecuada al tipo de texto que te presentamos.**

a)

Ayer te vi en el examen de español y tenías muy mala cara, estabas pálida. .... me iba a hacer un análisis de sangre.

b)

Si este verano viajas a España, acepta mi consejo. .... La Alhambra de Granada, la Giralda de Sevilla y .... la Aljafería de Zaragoza. Ya me contarás a tu regreso.

c)

.... a los señores González Suárez que pasen rápidamente por recepción para recoger los carnés que ha dejado el director del Congreso. Sin estos documentos no se les permitirá la entrada a la inauguración oficial, que presidirá el Sr. Alcalde. Gracias.

d)

.... la gabardina y no coges el paraguas, ... Mira que el hombre del tiempo ha anunciado tormenta.

e)

Al llegar a las Cuevas de las Maravillas, en Aracena, ... llevar chaqueta y linterna. .... en grupo y no separarse para evitar perderse. En todo momento .... las instrucciones del guía hasta el final del recorrido.

3 **Indica el tipo de escrito de estos textos.**

a)

Mamá, ha llamado el de la editorial y quiere hablar contigo urgentemente sobre la publicación del libro de Rosalía de Castro. Al parecer es mañana por la mañana, así que me ha dado el número de su teléfono móvil: 030 45 56 60.

Por cierto, hoy como fuera con mis amigos y volveré tarde. Te quiero. Iván.

b)

Quisiera expresarle mis más sentidas condolencias por la muerte de su esposa. Lamento mucho el trágico accidente que terminó con la vida de Rosa María. Es tremendo que haya todavía conductores tan irresponsables que no respeten las normas de circulación y que se salten el semáforo en rojo. Siento mucho que tenga que pasar por esta situación.

Reciba mi más sentido pésame,

Rosario Egea

c)

Ana López Rodríguez ha realizado con excelentes notas la carrera de Turismo en esta escuela, de la que soy actualmente director. Su comportamiento ha sido ejemplar; su estupenda actitud con los compañeros y los profesores y su admirable disposición para el trabajo la convierten en la candidata adecuada para el puesto de «relaciones públicas», que ustedes me solicitan. En una hoja aparte les mando su currículum vítae.

Saludos de Roberto Sosa.

d)

Para ajustar la hora:

- tire de la corona (esfera) hacia fuera cuando las manecillas del reloj se encuentren en la posición de las 12 en punto y la manecilla de segundos esté parada;
- ajuste la fecha girando la corona;
- empuje la corona hacia dentro hasta su posición normal;
- no trate de abrir la caja del reloj ni de sacar su tapa posterior;
- para limpiar el reloj y la pulsera, utilice un paño seco y suave, o un paño suave humedecido en una solución de agua y un detergente neutro suave.

2 LA NARRACIÓN

Narrar es relatar una acción que se ha producido en un tiempo determinado. Ya sabemos que cualquier hecho puede ser contado y que todos los hablantes de una lengua son autores «reales» de narraciones verdaderas, esto es, de los acontecimientos e historias que viven y experimentan a lo largo de la vida. Algunos de estos hechos no merecen ser relatados, otros, en cambio, sí.

Contar es, por lo tanto, una actividad natural del hombre. El niño, desde las primeras etapas de su vida, comienza a «narrar» y le gusta oír las historias que los que lo rodean le cuentan. Todos los cuentos infantiles parten de esta necesidad humana: contar y escuchar historias, verdaderas o fingidas.

¿Qué partes hay en la narración?

Los elementos que componen una narración o relato son:

a) La acción, lo que sucede.
b) Los personajes.
c) La situación en la que tiene lugar la acción.

a) La acción

Cuando contamos una historia siempre pasa algo. Eso que pasa es la acción y está formada por uno o varios episodios, o acontecimientos, ordenados por el autor. Unas veces, la narración sigue un orden lineal, tal y como han sucedido los hechos:

> Como todos los viernes, compró pollo asado y ensaladilla rusa y comió en la cocina, mientras subrayaba con un bolígrafo de dos colores los mejores programas de televisión para el fin de semana. Luego entornó la ventana, se acostó en el sofá e intentó recordar a su padre.
>
> Luis Landero, *El mágico aprendiz.* Madrid, Nueva Narrativa, 1999.

En cualquier sucesión de hechos puede, además, intercalarse alguna acción, que se desarrolla de forma simultánea. Entonces va precedida de una oración subordinada introducida por el marcador *mientras, mientras tanto, al mismo tiempo, a la vez...* Con frecuencia se utiliza el pretérito imperfecto, en contraste con el pretérito indefinido. En el texto anterior la acción de seleccionar los programas de la televisión es simultánea a la de comer: *mientras subrayaba los mejores programas, comió en la cocina.*

b) Los personajes

La narración, como sabemos, consiste en contar los hechos que realizan unos personajes, por lo que se convierten en elementos importantísimos de cualquier relato o cuento, pues estos son los que actúan, los que intervienen directamente en la acción. El personaje central de la narración se llama **protagonista** (a veces son dos o más los protagonistas). Vamos a leer un fragmento en donde dos personajes estructuran el episodio de una narración:

Ella se agachó para recoger un par de calcetines de rombos verdes y granates. Lo espió a través del espejo: Alfonso acababa de sentarse en el filo de la cama y se ponía el pantalón del pijama, encogiendo y estirando las piernas. Justina vio asomar sus pies blancos y esbeltos, de talones rosados, los vio mover los diez dedos como haciendo ejercicios. Alfonso lanzó una carcajada, abriendo los brazos, y se dejó caer de espaldas en la cama. Pataleó, con las piernas levantadas, disparando y recibiendo la imaginaria pelota. Su risa era fuerte y elocuente, y Justina no descubrió en ella ni una sombra de burla o mala intención.

–Métete en la cama de una vez que te puedes resfriar. No tengo ninguna gana de cuidarte.

Alfonso la obedeció en el acto. Saltó, levantó las sábanas, se deslizó entre ellas ágilmente y se acomodó la almohada bajo la espalda. Luego, se quedó mirando a la muchacha de una manera mimosa, como si fuera a recibir un premio. Los cabellos le cubrían la frente y sus grandes ojos azules fosforecían en la penumbra en que se hallaban, pues la luz de la lamparilla se detenía en sus mejillas. Tenía la boca entreabierta luciendo la blanquísima hilera de dientes que se acababa de cepillar.

Mario Vargas Llosa, *Elogio de la madrastra.*
Barcelona, RBA, 1993 (texto adaptado).

Puedes comprobar en este caso que el protagonista es el niño, Alfonso, que es vigilado por la chica. El niño realiza una actividad sorprendente: *lanzó una carcajada, se dejó caer en la cama, pataleó, saltó, levantó las sábanas*. Son acciones que se suceden linealmente bajo la mirada desconfiada de la chica.

Y junto a este despliegue de actividad, se percibe el cuidado del autor en la descripción de este personaje: *sus grandes ojos azules, sus pies blancos y esbeltos, de talones rosados, luciendo la blanquísima hilera de dientes*. Por tanto, la descripción es un apoyo indispensable en la creación de los personajes.

c) La situación o el ambiente

Todo relato tiene que desarrollarse en un lugar –el ambiente o la situación– donde actúan los personajes. Este elemento posee una gran importancia, porque puede influir en la forma de ser de aquellos. En él es donde «viven» los personajes y donde se va modelando su carácter o forma de ser. En algunos casos, la situación es parte real de la acción; en otros, aparece más desligada, según la voluntad del autor.

En el siguiente texto se observa cómo el ambiente determina el comportamiento y la forma de pensar de los personajes. La terrible convivencia a la que están sometidas las mujeres secuestradas transforma su modo de ser paulatinamente, como lo demuestran el uso de la perífrasis *habían empezado a acostumbrarse* (en lugar de *se acostumbraron)* o la silenciosa aceptación de una de ellas, que no toleraba el humo del tabaco, pero ahora lo *soportaba en silencio por lo felices que eran las otras.*

> Habían transcurrido diez días desde el secuestro, y tanto Beatriz como ella habían empezado a acostumbrarse a una rutina que la primera noche les pareció insoportable. Los secuestradores les habían reiterado a menudo que aquella era una operación militar, pero el régimen del cautiverio era peor que el carcelario. Solo podían hablar para asuntos urgentes y siempre en susurros. No podían levantarse del colchón, que les servía de cama común, y lo que necesitaban debían pedirlo a los dos guardianes, que no las perdían de vista, ni dormidas: permiso para sentarse, para estirar las piernas, para hablar, para fumar.
>
> La única cama era la de Marina, iluminada de día y de noche por una lamparita. Junto a la cama estaba el colchón, donde dormían las dos, una de ida y otra de vuelta, como los pescaditos del zodiaco, y con una sola manta para las dos. Los guardianes velaban sentados en el

suelo y recostados en la pared. Su espacio era tan estrecho que si estiraban las piernas les quedaban los pies sobre el colchón de las cautivas. Vivían en la penumbra porque la única ventana estaba clausurada. No había otra luz ni de día ni de noche, salvo el resplandor del televisor. El cuarto cerrado y sin ventilación se saturaba de un calor pestilente. El único consuelo para Beatriz y Maruja era el suministro puntual de una jarra de café y un cartón de cigarrillos. Para Beatriz, especialista en terapia respiratoria, el humo acumulado en el cuarto era una desgracia. Sin embargo, la soportaba en silencio por lo felices que eran las otras.

Gabriel García Márquez, *Noticia de un secuestro.*
Madrid, Nueva Narrativa, 1999 (texto adaptado).

Uno de los fragmentos de la narración constituye una orden o las instrucciones de convivencia durante el secuestro. En este caso se ha utilizado la perífrasis *poder / deber* + infinitivo:

– *no podían levantarse*
– debían pedir permiso *para sentarse, para hablar, para estirar las piernas, para fumar.*

Fíjate en cómo es el fragmento al que nos estamos refiriendo:

Solo *podían hablar* para asuntos urgentes y siempre en susurros. *No podían levantarse* del colchón, que les servía de cama común, y lo que necesitaban *debían pedirlo* a los dos guardianes, que no las perdían de vista, ni dormidas: permiso para sentarse, para estirar las piernas, para hablar, para fumar.

¿QUÉ PODEMOS NARRAR?

Cualquier hecho puede ser objeto de una narración. Algunas narraciones son fruto de la imaginación de quien relata la acción; otras, en cambio, están sacadas de la misma realidad.

Entre las narraciones de sucesos reales están:

a) Una anécdota

Es el relato de un episodio de la vida real. Suele contarlo el que verdaderamente ha experimentado tal peripecia o incidente. Lo normal es que las anécdotas que se cuentan hayan sido protagonizadas por personajes célebres –artistas, músicos, escritores, políticos...– y que se conviertan, con el tiempo, en una cita curiosa o de humor, impresionante o incluso terrible, que se sigue recordando.

Ejemplo de anécdota ocurrida entre artistas:

POR QUÉ BARBRA STREISAND NO SE HA «ARREGLADO» LA NARIZ

En el Festival de Cine Americano de Deauville, celebrado hace muy pocos días, se rindió homenaje a la edad de oro de los musicales de Hollywood con la presencia de tres grandes figuras: Mickey Rooney *(Hijos de la farándula)*, Leslie Caron *(Un americano en París)* y Joel Grey *(Cabaret)*. Allí, en pleno festival, Mickey Rooney contó que, gracias a sus consejos, Barbra Streisand no recurrió nunca a la cirugía para arreglarse la nariz. La anécdota ocurrió en 1962 durante el rodaje de *Réquiem por un campeón*, de Ralph Nelson. Barbra era entonces una joven actriz novata que lloraba en un rincón, según recuerda Mickey Rooney. «Yo le pregunté la causa de su llanto y ella me respondió: "Lloro porque todo el mundo se ríe de mí, a causa de mi nariz". Yo la convencí de que estaba así muy guapa y que no debía retocarla de ninguna manera. Siempre que nos vemos, ella me recuerda el consejo que le di.»

Con frecuencia las anécdotas forman parte de textos mayores, de narraciones y de novelas. Cuando se cuentan historias o tradiciones de pueblos y ciudades, parece normal incluir esas anécdotas, que se incorporan al conocimiento de una colectividad.

Miguel Delibes es un gran conocedor de la vida de los pueblos castellanos, de sus leyendas y tradiciones. En uno de sus libros incluye este saber popular. Veamos una anécdota contada en 1.ª persona, en donde incluye expresiones de la lengua coloquial *(y me dejó como estaba, me respondieran en cristiano* –es decir, que se entendiera fácilmente–, *por eso me libré muy mucho).*

A mí, como ya he dicho, siempre me intrigaron las deformidades geológicas y recuerdo que la vez que le pregunté al profesor Juan López por el fenómeno de las Piedras Negras, se puso a hablarme de la época glacial, del ternario y del cuaternario *y me dejó como estaba.* Es lo mismo que cuando yo le pregunté al Topo, el profesor de matemáticas, qué era *pi* y él me contestó que «tres, catorce, dieciséis», como si eso fuera una respuesta. Cuando yo acudí al Topo o al profesor Juan López, lo que quería era que *me respondieran en cristiano,* pero está visto que los que saben mucho son pozos cerrados y se mueven siempre entre abstracciones. Por eso *me libré muy mucho* de consultar a nadie por el fenómeno de la Mesa de los Muertos, el extraño teso que se alzaba a medio camino entre mi pueblo y Villamayor. Era una pequeña meseta sin acceso viable, pues sus vertientes, aunque no más altas de seis metros, son sumamente escarpadas.

Miguel Delibes, *Viejas historias de Castilla la Vieja.*
Madrid, Alianza Editorial, 1970 (texto adaptado).

6) La noticia en el periódico

La noticia es el relato de un hecho ocurrido, no ficticio. Aparece en los periódicos porque posee un interés general. Es, por lo tanto, una narración breve de cualquier acontecimiento de actualidad.

Consta de dos partes fundamentales:

- El *lead* o entrada.
- El cuerpo de la noticia.

En el ***lead*** el periodista hace un resumen de lo más importante de la noticia. Esta primera parte es de gran importancia, pues de ella depende el que se lea o no la noticia. Suele ir destacada con otro tipo de letra, para atraer la atención del lector.

El **cuerpo de la noticia** es el desarrollo de la misma. El autor, el que cuenta el suceso, suele dar su visión de lo que ha ocurrido, aunque su deber es ser objetivo.

Observa la distribución de la materia informativa en esta noticia: la entrada diferenciada del cuerpo, o parte central, de la noticia.

Una llamada telefónica salva la vida a una mujer en Canarias

Mérida. La llamada de un vecino de Badajoz al Centro de Emergencia 112 de Extremadura permitió salvar la vida de una mujer en Canarias. La mujer sufrió un repentino malestar cuando ambos hablaban por teléfono. El suceso se produjo cuando en un momento de la conversación la mujer, que reside en Santa María de Guía, comenzó a sentirse mal y se lo comentó a su interlocutor. En ese momento oyó un ruido, sin que el vecino de Badajoz pudiera establecer de nuevo la comunicación. Entonces alertó al Centro de Emergencia extremeño, desde donde se dio aviso al Centro de Canarias y a la Policía Local de Guía, a los que se les facilitaron la dirección y el número de teléfono y los datos de la afectada, que fue atendida de forma inmediata.

Características de la NOTICIA:

- Breve, escueta.
- Objetiva.
- De actualidad.
- Hechos de máximo interés.
- Hechos no habituales, dramas humanos...
- Debe informar en primer lugar de lo más interesante.
- De sintaxis poco compleja.

c) La carta en el periódico

Existe un tipo de carta, distinto a la carta privada que estudiamos en la parte anterior (A1), que aparece publicada en la prensa en la sección *Cartas al Director.* Pese a que va dirigida al director del periódico, tiene en realidad como destinatarios a los lectores.

La **carta al director** es un relato en 1.ª persona sobre un tema de interés para el público en general. Posee la estructura de una carta, pero se sale del ámbito privado y «secreto» que esta exige.

La carta al director sirve, por tanto, para expresar un punto de vista personal y manifestar:

– protesta o denuncia;

– alabanza y agradecimiento.

A continuación, podrás leer una carta de agradecimiento, muy original, escrita por una joven estudiante. Es una carta dirigida al escritor Gabriel García Márquez para agradecerle las obras que ha escrito y confesar públicamente su admiración por este autor. En tres párrafos expresa su agradecimiento, y cuenta sus experiencias al leer las obras del escritor colombiano. Está escrita en un tono exaltado: *me apresuré a devorar, me ha impactado, me ha dominado, me emocioné, me siento torpe al intentar expresar mis sentimientos,* que da idea del verdadero sentir de la autora ante la lectura. El vocativo *–mi querido y admiradísimo escritor–* es también un elemento propio de la carta.

Observa cómo, además, el pretérito indefinido y el pretérito perfecto contribuyen a plasmar el relato de su experiencia, en contraste con el presente de su estado actual: *me siento torpe;* asimismo, fíjate en la necesidad de emplear términos en sentido metafórico para referirse a su impaciencia al leer: *devorar.*

CARTA A GABRIEL GARCÍA MÁRQUEZ

Tengo 17 años y estudio tercero de Bachillerato, pero algún día seré periodista. Me gustaría agradecer al señor García Márquez que decidiera en su momento compartir con el resto de mortales su genio e imaginación desbordantes plasmando sobre el papel el regalo que para mí –e imagino que para otros muchos amantes de la lectura– representa cada una de las palabras salidas de su pluma.

Decirle también que me apresuré a devorar su última creación, *Del amor y otros demonios,* y que me ha impactado como pocos libros lo habían hecho. Me emocioné de tal manera que aún me ronda la historia por la cabeza; me ha dominado hasta el punto de no poder empezar a leer otra cosa (¡yo, que leo un libro detrás de otro!); digamos que ha pasado a formar parte de mí. Y esto, mi querido y admiradísimo escritor, en mi opinión es algo grande de verdad, algo que solo unos pocos elegidos como usted pueden llegar a conseguir.

En fin, me siento torpe al intentar expresar mis sentimientos: el pesar que sentí al cerrar el libro y saber que tendría que volver a esperar para disfrutar de nuevo de su maravillosa literatura; la melancolía al levantar la vista y regresar de golpe de la historia en la que tanto me había involucrado (historia maravillosa donde las haya) al mundo real... Pero supongo que no me equivoco resumiéndolos en un agradecimiento infinito. Y se lo ruego: no deje nunca de escribir.

Raquel Martín

3 LA DESCRIPCIÓN

Mediante la descripción se fotografía la realidad, que parece quedar congelada en la escritura.

Describir es hacer referencia a las partes de un todo, es ofrecer poco a poco los detalles de nuestra mirada sobre el mundo. Por eso, una característica de la descripción es precisamente la ausencia del tiempo. Aquello que se pretende describir se saca del desarrollo temporal, para poder así contemplarlo y fijarlo luego en el texto.

Observa la falta del elemento temporal en la siguiente descripción que hace Azorín, potenciada por el uso del presente de indicativo con carácter intemporal, es decir, que la acción no se enmarca en un presente real, va hacia el pasado y hacia el futuro: *se extiende, llega, permanecen, se posan.*

El mar se extiende inmenso. Hasta aquí llega el piar de las gaviotas. Las gaviotas revuelan lentas sobre las aguas azules, o se posan sobre las olas –como pedacitos blancos de papel– y permanecen largo rato inmóviles, traídas y llevadas, aupadas y hundidas, mecidas blanda, suavemente.

Azorín, *Una hora de España.* Madrid, Espasa Calpe, 1967.

Hay poca actividad en este texto. Incluso cuando se utiliza algún verbo, se trata de *permanecen largo rato inmóviles,* o cuando vuelan, su vuelo es lento *(revuelan lentas).*

En cambio, hay muchos adjetivos, elemento fundamental en la descripción, así como participios que apoyan la función del adjetivo *(traídas, llevadas, aupadas, hundidas).*

¿Para qué sirve la descripción?

La descripción puede aparecer de forma aislada, aunque no es lo más frecuente. Hemos visto que participa en la elaboración de los personajes de la narración. Por consiguiente, tiene una función creadora en los textos narrativos. Pero vamos a descubrir otros usos de la descripción, bien en relación con la narración o bien fuera de ella. En todo caso, exige siempre una percepción de la realidad penetrante y aguda.

I Para describir un objeto

Los objetos concretos y pasivos se dejan «fotografiar» a través de la escritura con bastante facilidad en la mayor parte de los casos. Nuestra mirada abarca los objetos, nos fijamos en el color, en el tamaño, en lo que vibra en su interior y en lo que los rodea, en el sonido que emiten, en el aroma que percibe nuestro olfato. La descripción puede ser objetiva –solo informa de cómo es un objeto– o subjetiva –si le añadimos nuestras impresiones–; en este caso, hemos de relacionarlo con nuestras emociones y, por tanto, es necesario emplear un léxico adecuado para:

- avivar los sentidos;
- despertar la imaginación del receptor;
- lograr que participe de nuestras vivencias.

Fíjate en qué forma Mario Vargas Llosa describe las cabañas en las que vive una tribu amazónica:

> Las cabañas eran todas idénticas: una simple plataforma de troncos sostenida sobre pilotes*, unos delgados tabiques de caña que solo cubrían la mitad de los lados, el penacho de hojas de palmeras que era el techo, y unos interiores austeros, pues solo albergaban esteras enrolladas, redes de pescar, arcos y flechas y puñaditos de yuca, maíz y otros alimentos.
>
> Mario Vargas Llosa, *El hablador*.
> Barcelona, Seix Barral, 1987 (texto adaptado).

Como ya sabemos, el adjetivo es el elemento fundamental de toda descripción mediante el cual expresamos las sensaciones de color, sonido o tacto que los objetos nos sugieren. Pero existen otros recursos, artísticos o estéticos, igualmente importantes para resaltar las cualidades de los objetos, y son:

a) **La comparación.** Mediante ella se destaca la cualidad de un objeto relacionándolo con otro con el que parece existir alguna semejanza: *El tren corría como una flecha.* Aquí se pretende destacar la velocidad del tren, al compararlo con una flecha a través del comparativo *como.*

b) **La metáfora** o sustitución de una palabra por otra entre las que se percibe una semejanza. Veamos un ejemplo:

* Los pilotes son palos de madera que acaban en un hierro para ser afianzados en la tierra.

> Los trenes duermen, en silencio, sobre las negras vías, mientras la gente camina sin hablar, como asustada, buscando un sitio a gusto entre las filas de vagones. Unas débiles bombillas iluminan mal la escena. El viajero piensa que anda en un inmenso almacén de ataúdes, poblado de almas en pena.
>
> Camilo José Cela, *Viaje a La Alcarria.*
> Madrid, Alianza Editorial, 1973 (texto adaptado).

El autor ha visto una semejanza entre el tren parado en una estación y cualquier animal –incluso una persona– que se recuesta o se tiende a dormir. Del mismo modo, la escena de la estación le recuerda un almacén de ataúdes, poblado de almas en pena. La tristeza y el pesimismo parecen ser los rasgos que el autor intenta destacar en esta descripción de una estación de trenes.

II PARA DESCRIBIR UN OBJETO COMPLEJO

La descripción ayuda también a explicar objetos complicados, como las máquinas. Se trata entonces de describir estos aparatos inventados por el hombre para realizar un trabajo. El desarrollo tan espectacular de la tecnología en la vida moderna exige de nosotros cada vez más que sepamos interpretar estos textos, y que aprendamos a redactarlos.

Para describir un aparato complejo, como una ampliadora, es necesario en primer lugar distribuir la información en distintos párrafos.

El lector que acude a un manual de fotografía sabe que la ampliadora es la máquina que sirve para obtener ampliaciones de fotografías, una vez revelado el negativo. A través de su descripción se pueden conocer:

– los elementos que posee el aparato y su funcionamiento;

– los tipos de ampliadora que existen.

Te presentamos a continuación tres párrafos de un mismo texto:

a) **Definición** de la ampliadora, indicando el lugar donde se usa (el laboratorio fotográfico) y la descripción de sus componentes (un foco luminoso, el portanegativos, un juego de lentes, el papel o base de la fotografía).

Es el instrumento más importante del laboratorio fotográfico. Consta de un foco luminoso, cuyos rayos atraviesan el negativo, y de un juego de lentes, que proyecta la imagen sobre una pantalla, donde se coloca el papel sensible a la luz que, después de la exposición adecuada, se revela y fija. Bajo la caja de luz va el portanegativos, que mantiene plana la película, y el objetivo. Para las ampliaciones se usa un papel bastante rápido, que evita las exposiciones largas; es un papel preparado con bromuro de plata.

- Uso del **PRESENTE** de indicativo: es, consta, proyecta, se emplea, se coloca, revela y fija.
- Uso del **ADJETIVO** especificativo, absolutamente necesario: foco luminoso, un papel bastante rápido.
- Uso de **SINÓNIMOS**, para producir variedad en lo que se redacta: *foco luminoso = caja de luz.*

Dado que se trata de enumerar las partes de una máquina complicada, aparecen indicaciones de lugar a través de preposiciones *(bajo la caja de luz)* o de oraciones adverbiales *(donde se coloca el papel).*

6) **Funcionamiento** de la ampliadora. Aquí se intenta explicar de qué forma se interrelacionan las partes de la ampliadora, descritas en el primer párrafo, para realizar las fotos. Con la intención de clarificar este mecanismo, se utiliza la comparación con el proyector de diapositivas *(como un proyector de diapositivas montado verticalmente).*

Funciona básicamente como un proyector de diapositivas montado verticalmente; cuanto más se sube el cabezal, mayor es el grado de ampliación. Una columna alta es, pues, preferible, pero a condición de que sea perfectamente rígida, porque la menor vibración provocará una imagen movida. La imagen se enfoca acercando o alejando el objetivo del negativo. La caja de luz ha de iluminar el negativo uniformemente, sin calentarlo para que no se deforme y sin dejar escapar luz, que podría velar el papel.

La sintaxis es más complicada. Ya hay subordinación, para reflejar la dificultad que entraña explicar un proceso (¿cómo se realiza?). Así pues, encontramos:

- Oraciones **COMPARATIVAS:** *cuanto más se sube... mayor es.*
- Oraciones **CAUSALES:** *porque la menor vibración provocará.*
- Oraciones **FINALES:** *para que no se deforme.*
- Oraciones **MODALES:** *la imagen se enfoca acercando o alejando el objetivo.*
- Como **CONSECUENCIA** de esta característica, se utilizan las formas del subjuntivo: *sea, se deforme.*

c) **Enumeración** de los distintos tipos de ampliadoras. Ahora bien, no es una enumeración de todas las que existen, sino una aproximación a los tipos más frecuentes y también a las últimas novedades.

Unas ampliadoras llevan un difusor entre la bombilla y el negativo para repartir la luz, mientras que otras usan un condensador o batería. Casi todas llevan algún soporte para filtros de color. Los aparatos sencillos llevan un cajetín que acepta filtros de acetato*; es un dispositivo barato, pero lento y pesado. Es cada vez más frecuente el uso de un cabezal de color, que lleva tres filtros móviles graduables mecánica y electrónicamente. La mayor parte de las ampliadoras se diseñan actualmente de forma modular e incorporan casi todas las posibilidades mencionadas.

- El uso de los **DETERMINANTES** distributivos: *unas ampliadoras... mientras que otras.*
- La referencia **CONSTANTE** a grupos diferenciados: los aparatos sencillos, luego existen otros mucho más complejos.
- Como **CONTRASTE** se hace referencia a la generalidad: casi todas, la mayor parte.

* Es una sustancia química que tiene como base el vinagre. Es una sal procedente del ácido acético.

El texto completo es el siguiente:

LA AMPLIADORA

Es el instrumento más importante del laboratorio fotográfico. Consta de un foco luminoso, cuyos rayos atraviesan el negativo, y de un juego de lentes, que proyecta la imagen sobre una pantalla, donde se coloca el papel sensible a la luz que, después de la exposición adecuada, se revela y fija. Bajo la caja de luz va el portanegativos, que mantiene plana la película, y el objetivo. Para las ampliaciones se usa un papel bastante rápido, que evita las exposiciones largas; es un papel preparado con bromuro de plata.

Funciona básicamente como un proyector de diapositivas montado verticalmente; cuanto más se sube el cabezal, mayor es el grado de ampliación. Una columna alta es, pues, preferible, pero a condición de que sea perfectamente rígida, porque la menor vibración provocará una imagen movida. La imagen se enfoca acercando o alejando el objetivo del negativo. La caja de luz ha de iluminar el negativo uniformemente, sin calentarlo para que no se deforme y sin dejar escapar luz, que podría velar el papel.

Unas ampliadoras llevan un difusor entre la bombilla y el negativo para repartir la luz, mientras que otras usan un condensador o batería. Casi todas llevan algún soporte para filtros de color. Los aparatos sencillos llevan un cajetín que acepta filtros de acetato; es un dispositivo barato, pero lento y pesado. Es cada vez más frecuente el uso de un cabezal de color, que lleva tres filtros móviles graduables mecánica y electrónicamente. La mayor parte de las ampliadoras se diseñan actualmente de forma modular e incorporan casi todas las posibilidades mencionadas.

Manual del laboratorio fotográfico.
Madrid, Blume, 1981 (texto adaptado).

III Para crear un determinado ambiente

El ambiente puede ser de terror; festivo, cómico / fúnebre; burlesco, irónico / serio; de misterio, o mágico.

El texto que te presentamos a continuación presenta la descripción de un ambiente misterioso durante una salida nocturna de un personaje romántico y muy impresionado por la literatura *(presa su imaginación de un vértigo de poesía)*. La noche, la luna y las ruinas son el marco perfecto para la contemplación, para soñar despierto con amores ideales e inalcanzables. La descripción de este ámbito se une a la acción *(se lanzó en su busca, se internó)*. El pretérito indefinido interrumpe la tensión temporal que el imperfecto había logrado *(era de noche, la medianoche tocaba a su punto, la luna estaba ya en lo más alto)*.

Era de noche; una noche de verano, templada, llena de perfumes y de rumores apacibles, y con una luna blanca y serena en mitad de un cielo azul, luminoso.

Manrique, presa su imaginación de un vértigo de poesía, después de atravesar el puente, desde donde contempló un momento la negra silueta de la ciudad que se destacaba sobre el fondo de algunas nubes blanquecinas y ligeras arrolladas en el horizonte, se internó en las desiertas ruinas del convento de los Templarios. La medianoche tocaba a su punto. La luna, que se había ido remontando lentamente, estaba ya en lo más alto del cielo cuando, al entrar en una oscura alameda que conducía desde el derruido claustro a la margen del Duero, Manrique exhaló un grito, un grito leve, ahogado, mezcla extraña de sorpresa, de temor y de júbilo.

En el fondo de la sombría alameda había visto agitarse una cosa blanca que flotó un momento y desapareció en la oscuridad. El traje de una mujer, de una mujer que había cruzado el sendero y se ocultaba entre los árboles, en el mismo instante en que el loco soñador penetraba en los jardines.

–¡Una mujer desconocida!... ¡En este sitio!... ¡A estas horas! Esa, esa es la mujer que yo busco –exclamó Manrique–. Y se lanzó en su busca, rápido como una saeta.

Gustavo Adolfo Bécquer, «El rayo de luna», *Rimas y Leyendas*. Madrid, Aguilar, 1988.

IV **PARA OFRECER UN RECORRIDO** por una habitación, una casa, una fábrica o **el itinerario** por una ciudad, por una región o comarca.

Para hacer una descripción de este tipo es necesario elegir un orden espacial, que ayude al lector a comprender el lugar.

Se puede seguir un **orden circular** –empezar y terminar en el mismo punto–, realizar un recorrido de derecha a izquierda, o al revés, del exterior al interior, de arriba abajo o de abajo arriba.

Si se trata de un itinerario a través de un país o región, lo más frecuente es el **orden lineal.** En ambos casos, los elementos fundamentales son el adverbio o las locuciones adverbiales y prepositivas que van marcando los puntos de referencia a lo largo del recorrido o itinerario.

Así, por ejemplo:

enfrente, detrás de;

junto a, al lado de;

a la derecha, a la izquierda;

al final de, en medio de;

después de, antes de.

a) Veamos el orden espacial que Rafael Sánchez Ferlosio ha escogido para hacer el **recorrido de un lugar:**

DE LA ABUELA

La abuela de Alfanhuí vivía en un segundo piso al que se entraba por un patio. El patio estaba separado de la calle por una tapia y una portona y cercado de casas, por los otros tres lados. A la derecha, había una escalera estrecha de piedra que tenía una barandilla de hierro y una parra de moscatel. Al final de la escalera había un descansillo, largo como un balcón, cubierto también por la parra. A la derecha se abría una puertecita y allí vivía la abuela.

El cuarto era de techo bajo, con un encalado muy viejo y lleno de liquen. Enfrente de la puerta había una ventana chiquita. El lecho de la abuela era de madera oscura, ancho y largo. La cabecera estaba sobre la pared de la izquierda. Sobre la cabecera había un ramo de olivo. La abuela tenía una mecedora junto a la ventana. La mecedora tenía dos cojines muy aplastados; uno para el respaldo, y el otro, para el asiento. En el medio del cuarto había una camilla y siete arcas junto a las paredes. Las arcas eran todas distintas y de distintos tamaños. En una esquina había una escoba, y en la otra una palangana para lavarse. Enfrente del ramo de olivo había en la pared un reloj de bolsillo colgado por la cadena.

R. Sánchez Ferlosio, *Industrias y andanzas de Alfanhuí.*
Barcelona, Destino, 1961 (texto adaptado).

Esta descripción del lugar en donde vive el personaje está hecha con un orden riguroso y con gran detenimiento, como si una cámara de cine recorriera de forma ordenada la entrada de la casa, el patio, las escaleras y se detuviera finalmente en la habitación. Este recorrido parece avanzar muy despacio. Y esta lentitud se consigue con la repetición de los objetos por los que el autor pasea la mirada:

– *se entraba por un patio / el patio estaba;*
– *la cabecera estaba / sobre la cabecera había;*
– *en el medio del cuarto había siete arcas / las arcas eran todas distintas.*

- La utilización de **ORACIONES** simples, muy cortas, facilita la comprensión del texto.
- El cambio del **EXTERIOR** de la casa al interior de la misma viene señalado por un nuevo párrafo.
- Se utilizan **SUFIJOS**: *portona / puertecita*, aumentativo / diminutivo, que producen un contraste y añaden afectividad.

6) **El recorrido de un itinerario** aparece en libros de viajes, donde se describen con detalle las rutas más atractivas de una región. La descripción en sí, del paisaje y los monumentos, se combina con una ligera narración, tal vez indispensable en toda descripción de esta clase. El uso del plural *(tomamos la N-I, vamos hacia Vadocondes)* invita al lector a emprender el itinerario descrito.

Tomamos nuevamente la N-I hasta la capital ribereña desde donde nos desviamos por la carretera local. A pocos kilómetros encontramos la villa de Aranda de Duero, que nos invita a visitar sus templos de San Juan (estilo gótico del siglo XIV) y Santa María (finales del XV) y a degustar sus buenos vinos y su afamada cocina. La vega arandina presenta dos aspectos claramente diferenciados, según miremos la margen izquierda o la derecha del río Duero. La primera presenta formas duras, secas, agrestes, mientras que la segunda es una vega fértil y de rica huerta. El arte románico escasea, pierde calidad respecto a otros ejemplos cercanos. A pesar de ello, merece una visita la portada de la ermita de La Cueva de Roa, los restos parciales de la muralla de Haza, desde donde se domina la parte baja del valle del mismo nombre. Desde Adrada vamos hacia Vadocondes para concluir en La Vid. Aquí llama nuestra atención el convento de los Padres Agustinos. Es un monumental edificio construido en varias etapas. La iglesia, de estilo básicamente gótico, tiene una aparatosa fachada barroca. El claustro posee formas renacentistas levantado sobre las ruinas de otro claustro románico. De este solo quedan la portada y las arcadas de la puerta capitular, metidas en el muro renacentista, y que han permanecido ocultas hasta hace muy poco.

Después de atravesar el estrecho puente sobre el Duero, tomamos a mano izquierda una carretera local, entre viñedos, que nos conduce a Peñaranda de Duero. La villa condal, aunque sin restos románicos, bien merece una parada para visitar el trazado medieval, la colegiata renacentista, la plaza con su arquitectura popular y el rollo* gótico de Juan de Colonia, y sobre todo el palacio de los Condes de Miranda.

Félix Palomero, *Rutas del Románico burgalés*.
Burgos, Librería Berceo, 1991 (texto adaptado).

- **La utilización de los MARCADORES** encargados de ordenar el espacio:
  - *la primera presenta formas duras, secas, agrestes, mientras que la segunda es una vega fértil y de rica huerta;*
  - *tomamos a mano izquierda una carretera local.*
- **El presente de INDICATIVO,** con un sentido intemporal, pues no se refiere al pasado, al recorrido hecho en un tiempo transcurrido, ni al presente. Puede aludir incluso al futuro. Es, así, una característica de la descripción:
  - *encontramos la villa de Aranda de Duero;*
  - *la vega arandina presenta;*
  - *el arte románico escasea, pierde calidad.*

* El rollo es una columna, casi siempre acabada en una cruz, en donde se ajusticiaba a los que cometían robos o asesinatos durante la Edad Media. Todos los pueblos castellanos tenían uno en las afueras.

• El empleo de los **ADJETIVOS**, sobre todo los que van pospuestos al sustantivo (existe algún ejemplo de adjetivo antepuesto):

- *formas duras, secas, agrestes;*
- *una vega fértil;*
- *un monumental edificio.*

V Para crear la personificación de un lugar

En los textos literarios suele aparecer la imagen de una ciudad, o de cualquier otro lugar, como si se tratara de un ser humano.

En el siguiente texto una ciudad castellana se transforma en una noble señora que posee cuatro faldas –las cuatro estaciones– que se corresponden con los colores de la tierra: gris, blanco, verde y dorado. Esta personificación está basada en la relación metafórica que asemeja la ciudad a la mujer. De esta forma, Medina del Campo toma las actitudes propias de una mujer: *tiene cuatro faldas, lava sus faldas en los ríos, las va recogiendo lentamente.*

Por Medina del Campo pasan todos los caminos. Ella está como una ancha señora sentada en medio de la meseta; ella extiende sus faldas por las llanuras. Sobre la rica tela se dibujan los campos y los caminos, se bordan las ciudades. Medina del Campo tiene cuatro faldas: una gris, una blanca, una verde y una de oro. Medina del Campo lava sus faldas en los ríos y se muda cuatro veces al año. Las va recogiendo lentamente y en ella empiezan y terminan las cuatro estaciones. Cuando llega el verano extiende su falda de oro.

R. Sánchez Ferlosio, *Industrias y andanzas de Alfanhuí.*
Barcelona, Destino, 1961 (texto adaptado).

VI PARA DESCRIBIR FÍSICAMENTE LOS PERSONAJES

En este caso, la descripción atiende al aspecto externo de los personajes, los rasgos físicos más destacados de su rostro, de su cuerpo, de su forma de vestir.

> Era bella, elástica, con una piel tierna del color del pan y los ojos de almendras verdes, y tenía el cabello liso y negro y largo hasta la espalda, y un aura de antigüedad que lo mismo podía ser de Indonesia que de los Andes. Estaba vestida con un gusto sutil: chaqueta de cuero, blusa de seda natural con flores muy tenues, pantalones de lino crudo y unos zapatos lineales del color de las bugambilias*. «Esta es la mujer más bella que he visto en mi vida», pensé cuando la vi pasar con sus sigilosos pasos de leona, mientras yo hacía la cola para abordar el avión de Nueva York en el aeropuerto de París.
>
> G. García Márquez, «El avión de la bella durmiente», *Doce cuentos peregrinos*. Madrid, Mondadori Narrativa, 1992 (texto adaptado).

Advierte la recreación de un personaje femenino, marcado por la belleza y la agilidad de movimiento *(elástica, con sus sigilosos pasos de leona)*. Se trata de una descripción dentro de una narración.

¿Por qué es una descripción?

- Por la enumeración de los rasgos físicos de este personaje.
- Por el uso de los adjetivos: *el cabello liso, negro y largo, sus sigilosos pasos, era bella, elástica.*
- Por el uso del pretérito imperfecto: *era, tenía, hacía.*

* Enredadera de flores pequeñas de varios colores. La más frecuente tal vez sea de color morado. Se da en zonas templadas.

VII PARA OFRECER LA VISIÓN DE UNA TOTALIDAD

El que escribe una descripción puede también reflejar o dar una idea sobre un hecho. Así, en el siguiente texto, desde la mirada atenta y observadora de un personaje –Matías– se descubre la vida en el interior de un edificio en la gran ciudad.

El texto que te proponemos es un relato, dentro del cual se incluye la descripción, que inmoviliza, es decir, detiene el vivir anónimo de unos vecinos. No se trata de un trayecto «real», como hemos visto en el punto IV, sino del recorrido visual, «cinematográfico», de un patio de vecindad.

La descripción está enmarcada en una narración, que ocupa el principio y el final de este texto. Aproximadamente a la mitad, aparece otra vez una frase eminentemente narrativa, que repite algo que ya el lector sabía.

Veamos:

Casi todas las tardes, Matías se acercaba a la ventana, levantaba el visillo y se quedaba con la frente en los cristales, mirando un rato las chimeneas. La oficina estaba en un sexto piso y aquella ventana daba a un patio con sus ropas colgadas a secar, sus grietas y sus canalones. La pared de enfrente a la ventana quedaba más baja y descubría algunas azoteas y tejados de otras casas. Cada azotea con su fila de tiestos, cada tejado con su fila de chimeneas. Dos, tres, cuatro chimeneas en cada tejado. Nacían así, formando grupos, en tiestos de cemento, los tubos negros con su sombrerito encima; nacían juntos de dos en dos, de tres en tres, como plantas raquíticas. Matías se asomaba cuando estaba atardeciendo, y allí estaba el triste ejército de las chimeneas que parecían esqueletos negros contra el cielo, indeciso, lechoso, vulgar de la ciudad. Era la hora del parpadeo de las ventanas. Unas encendían la luz, otras cerraban las maderas, otras se abrían. Se veían a través de los visillos imágenes confusas de dentro de las habitaciones, y se movían en el marco de la ventana como en un ojo débil. Algunas mujeres se asomaban a recoger la ropa tendida y subían por el patio voces de niños mezcladas con el ruido de motores eléctricos, de máquinas de escribir. Matías miraba las chimeneas tan quietas contra el cielo. De algunas salía un humo recto y leve, pero casi todas estaban como muertas. Él amaba aquella paz, aquella muerte de las viejas chimeneas. Miraba todo aquello como si lo quisiera penetrar. Se sentaba nuevamente en la mesa. Escribía: «chimenea».

Carmen Martín Gaite, «La oficina», *Cuentos completos.* Barcelona, Anagrama, 1994 (texto adaptado).

✔ PRINCIPIO

Casi todas las tardes, Matías se acercaba a la ventana, levantaba el visillo y se quedaba con la frente en los cristales, mirando un rato las chimeneas.

✔ MEDIO

Matías se asomaba cuando estaba atardeciendo.

✔ FINAL

Miraba todo aquello como si lo quisiera penetrar. Se sentaba nuevamente en la mesa. Escribía: «chimenea».

Las acciones van en pretérito imperfecto, porque se refieren a un hecho repetido y cotidiano, como indica el comienzo *casi todas las tardes.* Esta continuidad, esta prolongación de la acción viene también señalada por el uso del gerundio: *mirando, estaba atardeciendo.*

La ventana es la plataforma desde donde Matías contempla, vigila, «espía» y escucha todo aquello que sucede cuando está trabajando en la oficina. Queda singularizada, destacada por el artículo y el demostrativo (con valor deíctico): *la ventana / aquella ventana.* Es, además, el puente de unión entre el interior y el exterior, entre él y la realidad externa.

La materia observada se divide en:

– el mundo inanimado de las chimeneas;

– la vida en continuo movimiento, desdibujada pero activa, de los vecinos del edificio donde trabaja Matías.

- La **DESCRIPCIÓN** de las chimeneas ocupa un lugar destacado en el texto y está realizada con muchos detalles. Es el mundo de las azoteas, de los tejados, de las partes altas de las casas, casi siempre deshabitadas. La presencia de la chimenea parece dar un toque de «vida», de ahí el uso del verbo «nacían», que le da ese carácter animado. A las chimeneas se alude por medio de la sinonimia, de la metáfora, de la comparación, como puedes comprobar:

  – *tubos negros con su sombrerito;*
  – *ejércitos de esqueletos negros contra el cielo;*
  – *nacían como plantas raquíticas.*

- Junto a este **MUNDO**, existe simultáneamente el mundo de los vecinos. La autora no quiere señalar a ninguno en particular. Es su actividad, su mera existencia, el objeto de la descripción. Por eso son «las imágenes confusas» de la vida, entendida como una totalidad, lo que ha querido expresar en esta descripción:

  – *las mujeres que recogen la ropa;*
  – *las voces de los niños;*
  – *el sonido de la máquina de escribir.*

- Son las **VENTANAS**, además, las que parecen desarrollar una actividad propiamente humana *(la hora del parpadeo, encendían la luz, cerraban las maderas)*, porque se convierten en la frontera de los dos mundos. Son ellas las que dejan observar la vida interior y, a la vez, desde donde se observa la vida también.

- La realidad MULTIFORME que se pretende retratar con este tipo de descripción se consigue con el uso frecuente de los adjetivos numerales y los distributivos. Fíjate en su uso en el texto:
  - *cada azotea con su fila de tiestos, cada tejado con su fila de chimeneas;*
  - *unas encendían la luz, otras cerraban las maderas, otras se abrían;*
  - *dos, tres, cuatro chimeneas en cada tejado;*
  - *estaba en un sexto piso.*

LA DESCRIPCIÓN TÉCNICA O DESCRIPCIÓN EN TEXTOS CIENTÍFICOS

Junto a la descripción que acabamos de ver, muy útil y apropiada para elaborar los textos literarios, se encuentra en textos científicos la llamada descripción técnica y científica.

En algún caso, este tipo de descripción se asemeja a la definición, es decir, a la explicación del significado de una palabra tal y como aparece en los diccionarios.

Esta descripción no es creativa, como la literaria que hemos estudiado. Su principal característica es la **claridad y la objetividad.** Por consiguiente, deberás emplear:

- una sintaxis poco complicada, para facilitar su rápida comprensión;
- el presente de indicativo, con valor intemporal;

- frecuentemente el adjetivo, sobre todo el especificativo, esto es, el que es absolutamente necesario para la comprensión del texto;
- a veces, el paréntesis, que posee una finalidad explicativa.

No debes usar:

- metáforas;
- imágenes;
- comparaciones;

porque impiden comprender fácilmente el concepto que queremos definir.

Veamos un ejemplo de definición:

LA SACARINA

Es un producto químico, blanco y en polvo, que puede endulzar tanto como 550 veces su peso en azúcar. Es, por tanto, mucho más dulce que el azúcar de caña y se obtiene a partir de la síntesis química del benzol (sulfamida benzoica). La sacarina no tiene valor nutritivo alguno. Es útil como edulcorante para los diabéticos y para quienes siguen un régimen adelgazante. Fue descubierta en Estados Unidos en 1879.

El lector, mediante esta definición, ha conocido en qué consiste este producto, cuál es su origen y sus propiedades. Y todo ello con gran precisión. Fíjate en la repetición del verbo *ser* en presente intemporal, que puede entenderse casi como una enumeración de sus cualidades:

– *es un producto...*
– *es mucho más dulce...*
– *es útil...*

En los textos científicos la descripción técnica utiliza además términos propios de la disciplina en que se trabaja o tecnicismos:

mucronadas = picudas o de forma puntiaguda, *benzol* = sustancia química, así como adjetivos compuestos *(pardogrisácea)*, que son muy descriptivos, pero poco expresivos.

Asimismo, para conseguir la objetividad y exactitud que estos textos exigen, pueden emplearse cifras y números que precisan el objeto o la realidad de la que se habla *(550 veces su peso, el fruto es carnoso, de 0,5 a 2 cm de longitud)*.

La descripción del olivo, tal y como aparece en un manual de botánica, es un ejemplo de descripción científica.

EL OLIVO

Árbol poco elevado que, a lo sumo, alcanza los 10 m de altura, de copa muy abierta y poco densa. El tronco es grueso, con la corteza pardogrisácea, que en los ejemplares añosos se encorva y agrieta. Puede superar los quinientos años de vida. Es muy sensible al frío, propio de las tierras continentales del interior. Por eso es muy frecuente en el sur de la península Ibérica; en las serranías andaluzas coloniza extensas laderas. Las ramas recias y algo arqueadas poseen la corteza lisa y de color gris ceniciento. Las hojas son alargadas, ligeramente mucronadas y provistas de un rabillo corto; son de color verde grisáceo por la cara superior y plateadas por la inferior, pues están cubiertas de unas pequeñas escamitas. Las flores son muy pequeñas y de color blanco y se disponen agrupadas. El fruto es carnoso, de 0,5 a 2 cm de longitud, con un hueso endurecido en el interior. Las aceitunas maduran a finales del otoño, y se recogen tarde, en noviembre y diciembre; primero son verdes, pero cuando están bien maduras son negras. Las aceitunas que se recogen verdes son muy amargas, por lo que se preparan y adoban de forma muy diversa. Las aceitunas maduras son las que se utilizan para obtener el aceite por prensado. Las aceitunas al madurar pierden casi totalmente el sabor amargo. Las hojas del olivo se utilizan para rebajar la tensión sanguínea. Su madera es muy apreciada en ebanistería y en carpintería.

- El uso de **ORACIONES SIMPLES.**
- Las oraciones **SUBORDINADAS** que aparecen son las de relativo, las oraciones causales y consecutivas, y en menor medida las oraciones temporales.
- La frecuente **UTILIZACIÓN DEL ADJETIVO**, alternando el especificativo y el explicativo.

La descripción está organizada según las distintas partes del olivo.

- El autor ha comenzado por el tronco, ha seguido por las ramas, las hojas, las flores, hasta llegar al fruto, esto es, a las aceitunas.
- El autor de esta descripción ha elegido entonces un orden espacial, porque examina y se ocupa de la distribución y estructura de las partes de un todo, en este caso concreto, de un árbol.
- Finalmente, se hace mención de la utilidad (¿para qué sirve?) y la finalidad de alguna parte del árbol, como las hojas *(para rebajar la tensión sanguínea)* y la madera del tronco *(para la ebanistería y la carpintería).*

Como has podido comprobar, la definición exige una distribución rigurosa de la materia informativa. No existe un modelo que se repita de forma constante en estos escritos, pero sí es necesario establecer un orden, que depende del objeto que se describe.

EJERCICIOS

1 **Describe:**

- Una costumbre española que te haya sorprendido.
- El lanzamiento de un cohete en Cabo Cañaveral.
- Un ambiente que produzca miedo.

2 **Define y describe un mismo objeto: un limón.**

3 **Redacta:**

- Una noticia sobre un accidente que hayas presenciado o hayas visto en televisión.
- Una noticia sobre el salvamento de un niño en un incendio.
- Una carta al director para denunciar las malas condiciones acústicas y la desorganización de un concierto.

4 **Completa el texto siguiente con palabras que signifiquen «ruido» o «sonido». Puede haber más de una posibilidad, por ello debes emplear el término específico.**

Hace muy mal tiempo. Mientras la lluvia .... en los cristales de las ventanas y las olas .... contra las rocas, yo estoy sentada delante de la chimenea en donde .... el fuego. Después de escribir una página en mi diario, subí a acostarme. No podía dormir porque el viento .... con fuerza. Siempre las tormentas .... rabiosamente en esta zona del litoral catalán. Poco a poco fui cayendo en un sueño tranquilizador, pero me despertó el .... del armario, o tal vez de la cama, mezclado con un .... como el de un enfermo. Luego .... el apagado .... del motor de un coche y el .... de los perros, seguido del fuerte .... de un trueno. El .... de la lluvia en el techo del garaje era cada vez mayor. Me levanté asustada y, al mirar por la ventana, vi aquel coche negro empotrado en la puerta del jardín.

5 **Escribe un texto donde predomine el sentido del olfato, siguiendo el esquema del ejercicio anterior.**

Lee con atención los siguientes textos.

1.

Tan pronto como José Arcadio cerró la puerta del dormitorio, el estampido de un pistoletazo retumbó en toda la casa. Un hilo de sangre salió por debajo de la puerta, atravesó la sala, salió a la calle, siguió en un curso directo por los andenes de la estación, descendió escalinatas y subió escalones, pasó de largo por la calle de los Turcos, dobló una esquina a la derecha y otra a la izquierda, dio la vuelta en ángulo recto frente a la casa de los Buendía, pasó por debajo de la puerta cerrada, atravesó la sala de visitas pegado a las paredes para no manchar las alfombras, siguió por la otra sala, eludió en una curva amplia la mesa del comedor, avanzó por el corredor de las begonias y pasó sin ser visto por debajo de la silla de Amaranta, que daba una lección de aritmética a Aureliano José, y apareció en la cocina donde Úrsula se disponía a partir treinta y seis huevos para el pan.

Gabriel García Márquez, *Cien años de soledad.*
Madrid, Espasa Calpe,1982 (texto adaptado).

2.

La sangre, el líquido que el corazón hace circular a través de las arterias y las venas de nuestro organismo, es un elemento fundamental para el mantenimiento de la vida y de las funciones celulares. Por medio de la circulación de este líquido se transportan sustancias de unos lugares a otros del cuerpo humano, de forma que las células puedan alimentarse y eliminar sus productos de desecho.

La sangre es un tejido formado por dos componentes: el plasma y las células sanguíneas. Existen tres tipos de células sanguíneas: glóbulos rojos, glóbulos blancos y plaquetas. El volumen total de sangre es mayor en los hombres que en las mujeres.

Medida y realidad. Madrid, Alhambra, 1989.

a) Señala la diferencia entre ambos.

b) Di a qué tipo pertenecen uno y otro.

c) Analiza las formas verbales empleadas en ambos textos y observa la diferencia existente.

d) ¿Qué elemento poseen en común los textos 1 y 2?

7 **Narra una inundación y el final de una corrida de toros desde estas dos formas narrativas: a) como una noticia periodística y b) como un relato realista y dinámico.**

8 **Imagina la oficina en la que trabaja Matías, el personaje del texto analizado en el punto 7. Descríbela.**

9 **Indica el tipo de escrito al que pertenecen estos textos.**

a)

Y hay aquí, en esta llanura grata, frente por frente de las ventanas del estudio, una casa pequeña, cuyas paredes blancas asoman por lo alto de una verja de madera. Desde mi pupitre, con la cabeza apoyada en la palma de la mano, ocho años he estado empapándome de esta verdura fresca y suavísima, y contemplando esta casa misteriosa, siempre cerrada, siempre en silencio, escondida entre los árboles.

Azorín, *Confesiones de un pequeño filósofo*.
Barcelona, Castalia, 1972 (texto adaptado).

b)

La fotosíntesis que realizan las algas y plantas verdes consiste, esencialmente, en la captación y conversión de la luz solar en energía electrónica, y a su vez en poder reductor y energía química. Las plantas clorofílicas toman del medio los elementos –hidrógeno, carbono, nitrógeno, azufre y fósforo– y, gracias a la energía de la luz, reducen estos elementos incorporándolos a la materia celular. Los productos que, por medio de la fotosíntesis, fabrican para sí las plantas, sirven, a su vez, de manera directa o indirecta, como alimentos plásticos y energéticos a todos los demás seres que habitan el planeta.

Investigación y Ciencia, 1977 (texto adaptado).

c)

Yo venía de Brighton: antes de amanecer había viajado en el ferry hasta Calais y de allí a París en un hermético tren que se volvía más rápido a medida que la mañana se afianzaba sobre los húmedos bosques de color verde oscuro y grandes ríos inmóviles y borrosos de niebla, y en París alguien me recogió en la estación y me llevó en coche al aeropuerto y en el último momento me tendió un pasaje de avión para Milán y otro para Florencia, seis horas más tarde. No me dijeron lo que contenía la maleta que me entregaron en París, pero yo pensé que sería un viaje como cualquier otro, que usaban la impunidad de mi pasaporte para llevar de un lado al otro de Europa sumas de dinero o impresos clandestinos. Aquella noche de invierno, en el aeropuerto de Florencia, el hombre que debía encontrarse conmigo no apareció, y en su lugar llegaron policías de uniforme que exigieron la documentación a los pasajeros.

A. Muñoz Molina, *Beltenebros*.
Barcelona, Seix Barral, 1989 (texto adaptado).

Soluciones
a los ejercicios

EJERCICIOS A1

Capítulo I: Textos breves

Posibles respuestas

UNA AVISO DE FUERTE TORMENTA

El Instituto Nacional de Meteorología anuncia la presencia de una «gota fría» en el litoral cantábrico. Existe el peligro de fuertes lluvias y vientos huracanados. Por esta razón, la flota pesquera queda amarrada y los aeropuertos del norte permanecen cerrados. Las autoridades recomiendan no salir a la calle y cerrar puertas y ventanas.

UNA NOTA PARA LA ASISTENTA

Dolores: mira en la nevera y ve al hipermercado a comprar algo para la cena de esta noche. No te olvides de traer una caja de polvorones y el turrón* para los niños. Luego pasa por el colegio a buscar a los niños. Llévalos al parque y dales la merienda. El dinero está sobre la mesa del comedor.

UNA RECLAMACIÓN

El jueves por la tarde compré una impresora en su establecimiento de la calle Vargas, n.º 53. El empleado que me la vendió no quiso probarla y en el despacho no ha funcionado. Por esta razón, le exijo que me la cambie por otra. De lo contrario, lo denunciaré en la oficina del consumidor.

UNA INVITACIÓN A UNA FIESTA DE CUMPLEAÑOS

Los señores de García Sandoval tienen el gusto de invitarle a Ud. a la fiesta que con motivo del cumpleaños de su hija Cristina se va a celebrar en la finca Los Zarzales el próximo 23 de julio. La cena comienza a las 9 de la noche, pero antes se va a ofrecer un espectáculo taurino en la Rosaleda. Se ruega confirmar asistencia.

UNA PETICIÓN DE AYUDA

Necesito leer una obra de Fernán Caballero para preparar mi examen de Literatura Española. Ayer estuve buscando en los ficheros y no encontré ninguna novela suya. Por favor, ¿puede decirme en qué estante están o cómo debo buscarlas? Muchas gracias.

---

* Los *polvorones* y el *turrón* son los dulces típicos de la Navidad en España.

2

Posibles respuestas

a) Te **pido disculpas** por mi rápida marcha el jueves por la tarde. Me dolía la garganta y sentía escalofríos: tenía gripe. **Lamento** no haberte escuchado en la segunda parte del concierto. Saludos, Antonia.

b) **Les agradezco** muchísimo la cariñosa felicitación que nos han enviado por el nacimiento de nuestra hija. Salvador y yo **queremos expresarles** también nuestro **agradecimiento** por el bonito regalo que nos han mandado. Afectuosos saludos.

c) **Se comunica** a los alumnos de Astronomía que el examen del día 24 se **va a realizar** en el aula A-4 y no en el aula de clase, como se había anunciado.

El Jefe de Departamento.

d) **Por favor, mete** en el frigorífico la lechuga, las naranjas, los tomates y la leche; **deja** los vasos en el fregadero. Cierra todas las ventanas antes de salir y **dale** las llaves al portero. Besos, Carmela.

3

Por favor, ¿puedes...?	ayuda
¡Enhorabuena!	felicitación
Sentimos mucho...	disculpa
Le estoy muy agradecido...	agradecimiento
Queremos que nos devuelvan el dinero...	reclamación
Te propongo participar...	invitación
Se suspende la corrida de toros...	aviso
Se permite fumar en el tren.	permiso

a) Un aviso al público.

b) Una nota para pedir ayuda.

c) Un recado o mensaje.

d) Un aviso a los usuarios de una biblioteca.

e) Una disculpa.

f) Un aviso para pedir al público un comportamiento determinado.

g) Una petición de ayuda dirigida a un grupo (lectores).

5

1.

a) Una nota para pedir ayuda.

b) *por favor, ¿puedes...?*

c) **Posible respuesta**

Enrique, **debes** pasar por el colegio a buscar al niño. **Tienes que** hablar / **Es conveniente que** hables con la profesora porque, al parecer, hay problemas con su comportamiento en clase y con las notas de Historia. Luego hablamos de este asunto. Voy a llegar tarde.

Marina.

2.

a) Un aviso o información general.

b) *Se comunica, se va a realizar, se ruega,* son las expresiones que nos indican la naturaleza de este texto comunicativo. Se pretende conseguir una determinada conducta de los destinatarios (los trabajadores de la fábrica) para que abandonen el edificio en el momento en que suene la alarma.

c) **Posible respuesta**

Los trabajadores de la sección de empaquetado de la fábrica de conservas El Riojano **manifiestan su malestar y su queja** ante el mal funcionamiento de las puertas de emergencia. El simulacro del viernes pasado, 2 de octubre de 2001, ha demostrado que las condiciones del lugar de trabajo no son las adecuadas. Todo el personal de este sector **exige** a la empresa que cambie el sistema de apertura y cierre de las puertas para evitar males mayores.

Posibles respuestas

A

Por favor, déjame unos limones, un poco de azúcar y huevos para preparar un postre rápidamente. Esta noche viene a cenar la madre de mi amigo. ¿Puedes prestarme el mantel de cuadros, el que compraste en el hipermercado? No tardes. Te espero «como agua de mayo». Marina.

Una **nota para pedir ayuda.**

B

Se convoca al pueblo de Sevilla a una concentración en memoria de «El Piti». Se ruega asistir con lazos negros y pancartas. Se cortará el tráfico en las calles del centro, al paso del entierro. Hay tres días de luto oficial.

Un **anuncio.C**

C

Pasamos a entregar su envío a las 10 horas. Lamentamos no haber encontrado a nadie para atendernos. Por favor, pónganse en contacto con nosotros. Llamen al teléfono 928-232425, de 10 a 13 horas.

Un **aviso.**

7

Posibles respuestas

a)

Por la presente, **se autoriza** a todos los propietarios del parking Avda. de América a utilizar la salida general en los días de Navidad para facilitar el acceso a la autopista de Barcelona. Esta salida **estará permitida** a partir del próximo 16 de diciembre, a las 6 de la mañana.

La Dirección.

Es un **anuncio** en el que **se concede un permiso.**

b)

Quiero expresarte mi **más sincera felicitación** por ganar la plaza en la delegación de Oviedo. **Me alegro mucho** de ese nuevo éxito en tu carrera y **estoy muy contenta** por ti, porque puedes regresar de nuevo a tu tierra, como deseabas desde hace tanto tiempo. Un abrazo,

Carmina.

Es una **felicitación.**

c)

Le pido disculpas por la molesta situación que ha tenido que soportar. No sabemos todavía dónde se ha producido el error que le ha dejado a usted sin dinero. **Lamento mucho** que todo esto le haya pasado, y además en el extranjero. Me encargo personalmente de buscar al responsable de tan lamentable equivocación. Le repito **mis disculpas.**

El director del banco.

Es un texto para **pedir disculpas.**

d)

Queremos expresarle **nuestra gratitud** por el comportamiento tan humano y desinteresado que usted ha manifestado con motivo del desafortunado accidente que ha sufrido nuestro hijo. Sabemos que su trabajo es atender a los enfermos, pero **estamos muy agradecidos** por todas las visitas que realizó fuera de su horario, por la atención con Pablo, y **le agradecemos** también todo lo que hizo para que lo admitieran en las sesiones de rehabilitación, que no podíamos pagar.

Andrea y Luis Lozano.

Es un texto que expresa **agradecimiento.**

Capítulo III: La descripción

1 Respuesta libre.

2 **Posibles respuestas**

UN SUCESO INESPERADO

Con su tabla recién comprada se metió en el mar aquella mañana temprano. Las olas lo dejaban deslizarse muy bien y corrió paralelo a la costa un buen rato. Se dio cuenta de pronto de que el sol calentaba demasiado y de que ya no veía la playa, ni los altos edificios de Málaga. Se encontraba en alta mar, perdido y llevado sobre su tabla a la velocidad que aquella brisa, cada vez más fuerte, lo empujaba. Un barco griego vio a aquel atrevido surfista y fue rescatado milagrosamente muy cerca del Estrecho de Gibraltar.

LOS ÚLTIMOS MINUTOS DE UN PARTIDO DE FÚTBOL

Viajó durante toda la noche en un autobús incómodo y frío para ver la derrota de su equipo... No podía comprender cómo aquella pelota entró como una flecha en la portería. Portillo estaba atento, en tensión, pero el jugador de los contrarios cruzó el campo con el balón, mientras todos parecían saborear la victoria adelantada y, ¡zas!, apuntó con acierto. El balón entró en el maldito cuadrado. Pudo saltar, rebotar, pero no, entró rápido y veloz. El silencio fue mayor, instantáneo, luego el estallido de los contrarios surgió sin prisas en las gargantas de los que parecía que no tenían que gritar esta vez. El autobús ahora estaba aún más frío.

LA VISITA A UN TABLAO FLAMENCO

La alegría irrumpe en un espacio muy pequeño. La música suena envolviéndonos. Todos quedamos asombrados del espec-táculo que se desarrolla ante nuestros ojos. Hombres y mujeres con una gran seriedad mueven sus cuerpos al ritmo trepidante de la guitarra y de las palmas que otro grupo, sentado detrás de los bailarines, no termina de tocar. Las mujeres, con trajes largos de volantes y claveles en el pelo, danzan rodeando al hombre que, vestido de negro y con sombrero cordobés, las persigue, las abandona, juega con ellas. Hombres y mujeres taconean en las tablas del escenario, llevando ellos también el ritmo de la música. Me gusta mucho el baile flamenco. ¡Olé!

3 Respuesta libre.

La parte descriptiva del texto aparece en negrita, el resto puede considerarse eminentemente narrativo.

Una tarde de mucho calor, tres niños se escaparon de la escuela para bañarse en el río. Pasaron un par de horas chapoteando en el barro de la orilla y luego se fueron a vagar cerca del antiguo ingenio de azúcar de los Peralta, **que estaba cerrado desde hacía mucho tiempo. El lugar tenía fama de hechizado, decían que se escuchaban ruidos de demonios y muchos habían visto brujas gritando.** Entraron en las ruinas y recorrieron los amplios cuartos de anchas paredes de ladrillo y vigas rotas por la polilla, saltaron por encima de la hierba crecida en el suelo, de la basura, de las tejas podridas y los nidos de culebra. Se daban valor contándose bromas, y empujándose llegaron hasta la sala de molienda, **una habitación enorme abierta al cielo, con restos de máquinas despedazadas, donde la lluvia y el sol habían creado un jardín imposible** y donde olieron el rastro penetrante de azúcar y sudor. De pronto oyeron con toda claridad un canto monstruoso. Trataron de retroceder, pero la atracción del horror fue mayor que el miedo y se quedaron escuchando hasta que la última nota se les clavó en la frente. Buscaron el origen de esos extraños sonidos y encontraron una pequeña trampa en el suelo. Desde allí se bajaba a una cueva donde encontraron a **una criatura desnuda, con la piel pálida y doblada en muchos pliegues, que arrastraba unos mechones grises por el suelo, que lloraba por el ruido y la luz. Era Hortensia, casi ciega, con los dientes gastados y las piernas tan débiles que casi no podía tenerse en pie.**

a) La parte destacada del texto es eminentemente narrativa, porque se refiere a acciones que suceden en un tiempo. El personaje cuenta la alegría que sintió al llegar a su ciudad natal, Cádiz. El encuentro con las calles conocidas, el ambiente y, sobre todo, su encuentro con el mar, le producen un inmenso placer. Así, los verbos en pretérito indefinido –*llegué, bajé, salté, me desnudé, me lancé*– expresan acciones que han sucedido una tras otra en un tiempo relativamente breve.

b) El fragmento más significativo es tal vez el que comienza así: «Todo era para mí simpático y risueño», en el que el autor describe lo que va viendo en su recorrido por la ciudad.

c) Es una descripción subjetiva e intimista, pues el personaje refleja su estado de ánimo, de gran alegría, en las calles de Cádiz, en sus gentes y casas. Incluso las ventanas y balcones de estas casas expresan esta alegría, es decir, participan del sentimiento del autor, cuando afirma: «remedando en los balcones y las ventanas las facciones de un semblante alborozado». Las fachadas de las casas están, por tanto, personificadas, porque «sienten» como los humanos.

d) Los fragmentos descriptivos ayudan a situar los hechos que se narran, que se desarrollan en un entorno urbano y junto al mar.

6

a) Se trata de la descripción de un paisaje de la naturaleza. Es una descripción objetiva, porque muestra la realidad con precisión, con un orden riguroso. Sabemos que se trata de una descripción porque se usa el presente de indicativo, lo que quiere decir que el factor tiempo no tiene importancia, al contrario de lo que ocurre en la narración, y también porque es un texto estático, que carece de acción.

b) **Posible respuesta**

La tarde es clara. La carretera **comarcal** serpentea, con curvas **muy cerradas,** en lo hondo de los **profundos** barrancos; el río refleja la silueta de los **verdes** chopos junto al camino. Las **altas** montañas cierran el horizonte. Arriba, en las **lejanas** cumbres, se ve una gran roca; más abajo, entre el **denso** espesor de los castaños, se extiende una **amplia** pradera.

c) **Posible respuesta**

La tarde está clara. La **borrosa** carretera serpentea, con curvas **peligrosas y excitantes,** en lo hondo de los **abruptos** barrancos; el río refleja la silueta de los **afilados** chopos junto al camino. Las montañas **rocosas y escarpadas** cierran el horizonte. Arriba, en las cumbres **borrascosas,** se ve una gran roca; más abajo, entre el espesor **otoñal** de los castaños, se extiende una pradera **escondida y acogedora.**

d) **Posible respuesta**

La tarde está clara. La carretera **que conduce al cementerio** serpentea, con curvas **que producen temor,** en lo hondo de los barrancos **que ha erosionado la nieve;** el río refleja la silueta de los chopos **que se elevan** junto al camino. Las montañas **que parecen muy oscuras,** cierran el horizonte. Arriba, en las cumbres **que vigilan nuestros pasos,** se ve una gran roca; más abajo, entre el espesor **que ya es casi amarillo** de los castaños, se extiende una pradera **que pocos paisanos conocen.**

e) Respuesta libre.

Solo algunos de los adjetivos y sintagmas utilizados pertenecen al texto original escrito por Pío Baroja.

Posible respuesta

La casa está entre la glorieta de Quevedo y los jardines del canal de Isabel II, en la esquina de una calle **estrecha, que acaban de abrir.** La fachada, **de ladrillo rojo y estilo neogótico,** estaba cubierta en parte por una enredadera **ya marchita, ennegrecida por el otoño.** En el piso bajo se veía un ventanal **alto, demasiado grande, con cristales rotos y compuestos con trozos de papel.** La puerta se hallaba adornada con una marquesina de cristales y a los lados dos estatuas **de mármol, envejecidas y sucias.** En el piso bajo había una cocina, un comedor y un salón **amplio, iluminado por el ventanal que se ve desde la calle.** El salón era elegante e irregular; tenía cuatro paredes **tapizadas con una tela a cuadros, rota ya en varias partes y llena de agujeros de clavos, por donde salía la cal,** y el suelo estaba hecho de baldosas **blancas y negras, que formaban dibujos.** El techo era lo más lujoso de la sala: tenía alrededor una moldura interrumpida por medallones con cabezas de guerreros y guirnaldas de flores y frutos. Desde la azotea, **de ladrillo rojo, que daba al patio de atrás,** se veía una plaza **con casas bajas de una puerta y una sola ventana y un caserón en ruinas, refugio de mendigos.**

Fíjate en el sintagma *refugio de mendigos.* Es una estructura que se llama **aposición,** y completa o explica alguna característica del sustantivo sobre el que incide. Cumple casi la misma función que el adjetivo. En este caso concreto añade un rasgo propio de ese caserón en ruinas: el de ser lugar de refugio para los mendigos.

8

Respuesta libre.

9

El texto original es así:

–Ahí sube doña Adriana –dijo su ayudante.

Su silueta estaba medio **difuminada** en la luz **blanca** y **brillante,** a lo lejos. El sol reverberaba en los tejados de pizarra, allá abajo, y el campamento parecía un **fragmentado** espejo. Sí era la bruja. Llegó jadeando ligeramente y respondió al saludo del capitán con un tono **seco,** sin mover los labios. Su pecho grande, **maternal,** subía y bajaba armonioso y sus **grandes** ojos lo observaban sin pestañear. No había asomo de inquietud en esa mirada **fija, intensa, penetrante.** Tenía una cara **redonda** y avinagrada y una boca como una cicatriz. La señora Adriana resopló y se dejó caer sobre una piedra **plana.** Tenía unos pelos **lacios,** sin canas, **estirados** y sujetos en su nuca con una cinta de colores, como las que los indios amarraban en las orejas de las llamas.

■ Respuesta libre.

10 El orden exacto de los textos, tal y como los escribieron sus autores, es el siguiente:

a)

Eso lo decimos todas las mujeres a los veinte años, ¿sabes? Cuando llegas a los veinticinco, añoras lo que te fue indiferente a los veinte; a los treinta empiezas a pensar; a los treinta y cinco ya no piensas, lloras, y a los cuarenta el corazón se te encoge y miras con envidia las parejas de enamorados que pasan bajo tu ventana. Y a los cuarenta y cinco, que son los que yo tengo, te ocultas en la cocina a hacer tartas de manzanas para las sobrinas que no deseas que sigan el mismo ejemplo que tú.

Corín Tellado, *Aquel descubrimiento*.
Barcelona, Bruguera, 1971 (texto adaptado).

b)

Bernal vive solo, y algún domingo sale a pescar por los pantanos de los alrededores de Madrid. Un día hace años, Bernal le dijo: «Vente conmigo, ya verás como se pasa bien». Y Matías fue. Bernal llevó dos sillitas plegables, montó las cañas y los dos se sentaron a fumar y a mirar el agua y a hablar ocasionalmente de las cosas que veían. Una rana, un pájaro, una nube. Almorzaron allí mismo, y volvieron al atardecer sin haber pescado nada. «¿Qué te ha parecido?», le preguntó Bernal. Y Matías dijo: «Está bien», porque es verdad que le había parecido un modo muy agradable de pasar el domingo.

Luis Landero, *El mágico aprendiz*.
Madrid, Nueva Narrativa, 1999.

11 Le pregunté si deseaba algo, pero el hombre se había quitado de la ventana. Dejé el periódico sobre la mesa y me dirigí a la casa. El hombre había gritado que subiera y eso era lo que deseaba. Comencé a subir la escalera. La estaba subiendo y pensaba en mis cosas. Es lo que un hombre debe hacer siempre: pensar en sus cosas. Y no importa que se trate de cosas absurdas para otros. Si son las cosas de uno, son cosas interesantes. Yo, señor, ya me convencí de que no soy muy listo. Me lo decía mi padre, aunque mi padre era barrendero municipal y a lo mejor no tenía mucha formación para decir aquello. Era lo que decía mi padre todas las mañanas. Hasta que un día fiché por el Real Madrid... y se acabaron todos mis problemas.

12

A las nueve en punto de la mañana del sábado **bajé** al portal. Alejandro me **esperaba,** sentado al volante de su coche y **hojeando** el periódico. **Hacía** una mañana soleada y limpia y no **había** apenas gente por la calle. **Dejó** mi bolsa en el maletero y **encendió** el motor. **Fuimos** a recoger al tío Jorge, que **había pasado** la noche en un hotel que **estaba** acorde con el proceso irreparable de ruina que **preocupaba** a mi madre. En el pequeño y oscuro vestíbulo del hotel, en una bocacalle de la Gran Vía, nos **esperaba** mi tío, sentado en una butaca tapizada de plástico color verde. La chica de la recepción **estaba** hablando con él. Los dos **se reían.** Me **saludó, agarró** su bolsa y **se despidió** de la recepcionista con una inclinación caballerosa de cabeza, deseándole un fin de semana agradable.

El tío Jorge **iba** vestido con ropa de sport, vieja ropa de sport, algo invernal: pantalón de pana, camisa de franela, chaleco de lana gruesa y zapatos de ante. Su fidelidad a los cánones de la moda de su tiempo **era** inquebrantable y me **conmovió.** Me **pregunté** si con ese atuendo y esos modales no **resultaba** una figura un poco ridícula, incluso patética, pero la chica de la recepción lo **había mirado** sin ninguna ironía. Tal vez mi madre **tenía** razón, tal vez **era** todavía un hombre atractivo.

13

Una posible respuesta es el texto de Carmen Martín Gaite que te presentamos. Están subrayadas las expresiones que indican situación espacial.

Al balneario se entraba por un paseo de castaños de indias bordeado de hortensias y margaritas, paralelo al río, que quedaba a la izquierda.

A la derecha empezaban las edificaciones que yo había visto desde el puente. Eran altas y planas, pintadas de un blanco rabioso, y todas las ventanas estaban equidistantes, entreabiertas en la misma medida, con una cortinita a medio correr. Estas cortinas no se movían, ni tampoco las contraventanas. Parecían ventanas pintadas o tal vez que no había aire. Eran los edificios varios hoteles, cada uno con su nombre en el tejado. A los lados del paseo y a lo largo de la pared de los hoteles, había muchos sillones de mimbres* con gente sentada. Los rostros de estas personas

* Ramitas flexibles de un arbusto con las que se hacen mesas, sillas y objetos de cestería.

me parecían vistos mil veces y, sin embargo, uno por uno no los reconocía. Los sillones de mimbre en que se sentaban aquellas personas estaban repartidos –unos buscaban el sol, otros la sombra–. En algunas zonas se acercaban en semicírculo o en corro alrededor de una mesa. Sobre estas mesas había alguna tacita de café, y un señor o una señora revolvían lentísimamente el azúcar con una cucharilla.

Carmen Martín Gaite, «El Balneario». *Cuentos completos.*
Barcelona, Anagrama, 1994 (texto adaptado).

14 Respuesta libre.

15 a) Es una descripción objetiva.

b) Es una carta familiar, en donde se combinan la narración y la descripción. La persona que escribe la carta informa de los sucesos que ha vivido en una mañana de su estancia en España. A lo largo del relato, intercala la descripción de la cigüeña y del lugar en donde ella reside.

c) Es una noticia aparecida en un periódico local. Se trata de informar a los ciudadanos de lo ocurrido en la ciudad en donde viven. Destaca el tono objetivo de la expresión, aunque se pretende dar un cierto carácter personal al tomar como título de la noticia un verso de Antonio Machado («Se ha asomado una cigüeña a lo alto de un campanario»).

d) Es la descripción de un paisaje urbano, concretamente de un barrio marginal y obrero de Barcelona. Está tratado con cuidado y hasta con cierta ternura («tiernos colores»). En el texto se presenta una clara oposición: el centro de la ciudad (abajo) y las afueras (arriba). Además, se observa el contraste entre las casas pequeñas y humildes por un lado y, por otro, los edificios más representativos de Barcelona. Esta descripción posee un tono creativo, pues se utilizan imágenes muy expresivas: «enjambre de barracas», «las botellas grises» (torres de la Sagrada Familia).

e) Es una narración, un relato de varias acciones que se realizan de forma lineal en un breve espacio de tiempo. La protagonista parece realizar tareas aprendidas de forma rutinaria mucho tiempo atrás, de ahí que pueda hablarse de un hecho (recoger la cocina), fragmentado en varios episodios, que tienen como núcleo el verbo en pretérito indefinido. Cada acción sigue, como en un ritual, a la otra, hasta el momento en que, cansada, la protagonista parece reflexionar sobre su destino, momento que parece poner fin a la narración lineal de este párrafo.

EJERCICIOS A2

Capítulo I: Textos breves

1

Respuesta libre.

2

Posibles respuestas

a) Ayer te vi en el examen de español y tenías muy mala cara, estabas pálida. **Yo, en tu lugar,** me iba a hacer un análisis de sangre.

b) Si este verano viajas a España, acepta mi consejo. **Visita** La Alhambra de Granada, la Giralda de Sevilla y **no dejes de ver** la Aljafería de Zaragoza. Ya me contarás a tu regreso.

c) **Se ruega** a los señores González Suárez que pasen rápidamente por recepción para recoger los carnés que ha dejado el director del Congreso. Sin estos documentos no se les permitirá la entrada a la inauguración oficial, que presidirá el Sr. Alcalde. Gracias.

d) **Si no te llevas** la gabardina y no coges el paraguas, **después no te quejes.** Mira que el hombre del tiempo ha anunciado tormenta.

e) Al llegar a las Cuevas de las Maravillas, en Aracena, **no olviden** llevar chaqueta y linterna. **Deben mantenerse** en grupo y no separarse para evitar perderse. En todo momento **han de seguir** las instrucciones del guía hasta el final del recorrido.

3

a) Un recado.

b) Una nota de condolencia o pésame.

c) Una recomendación del tipo B).

d) Unas instrucciones de uso de un reloj.

Capítulo III: La descripción

Posibles respuestas

- Cuando llegué, me dijeron que los españoles duermen la siesta. No sabía exactamente en qué consistía ese «dormir la siesta», pues creía que se trataba de una expresión hecha, como «dormir la mona». Al día siguiente, entendí bien lo que era. La vida se paraliza durante un gran espacio de tiempo. La pequeña ciudad de provincia queda muerta, inactiva, a lo largo de casi dos horas, porque todo el mundo desaparece dentro de sus casas para echarse la siesta. Los comercios cierran sus puertas, las plazas se vacían de niños y mayores, los trabajos se paran al mediodía y el silencio se cierne sobre la ciudad, que dormita plácida y tranquilamente. A media tarde, la ciudad despierta más alegre y entusiasmada, porque ha descansado.
- Enviar un satélite a la luna es una hazaña espectacular. Parece la meta de todos los viajes de la humanidad, reunidos, agrupados en ese momento decisivo en que una armazón complicada, de tonalidades grises y opacas, se ve empujada hacia un cielo lleno de misterios. Un artefacto enorme, como un gigantesco avión puesto en pie, esperaba la hora de emprender el vuelo. Estaba recubierto de treinta mil tejas de cerámica que no se quemarían al contacto con la atmósfera. Los astronautas estaban ya preparados dentro de sus trajes grises, como orugas o gusanos verticales, y subían con lentitud por la pasarela que los conducía al interior de la nave espacial. Los cohetes secundarios de combustible sólido, que ayudan al lanzamiento y luego caen al mar, estaban ya encendidos y se oía un ruido infernal. La cuenta atrás aceleraba el tiempo y el corazón de todos los que confiaban en un despegue perfecto. Fue tan rápido el lanzamiento, como lentos los preparativos. Casi unos minutos después, dejó de verse aquella masa metálica.
- Tampoco sabía por qué se le ocurrió a Roque esperar al rápido dentro del túnel. Otras veces habían aguantado en el túnel el paso del tranvía interprovincial o el mixto. Pero estos trenes discurrían lentamente y su paso, en la oscuridad del agujero, apenas si les producía emoción alguna. Era preciso renovarse. Por eso Roque les exigió aguardar al rápido dentro del túnel. El rápido entró en el túnel, silbando, bufando*, echando chispas, haciendo temblar los montes y las

* Bufar es resoplar con fuerza. Es un verbo que se aplica sólo a animales.

piedras. Los niños estaban pálidos, en cuclillas*. Daniel sintió que el mundo se dislocaba bajo sus plantas, se desintegraba sin remedio y, mentalmente, se santiguó. La locomotora pasó rechinando a su lado y una especie de llamarada de vapor cálida y muy fuerte lamió sus caras desfiguradas de espanto. Temblaron las paredes del túnel, que se llenó de unas resonancias férreas y estruendosas. El fragor del hierro los dejó aterrorizados. Jamás habían sentido tanto miedo. Sin embargo, cuando terminó de pasar el tren, se oyeron las risas sofocadas de los tres amigos.

Miguel Delibes, *El camino.*
Barcelona, Destino, 1993 (texto adaptado).

2

Posibles respuestas

DEFINICIÓN

El limón es el fruto del limonero, de forma ovoide (como un huevo), con unos 10 centímetros en el eje mayor y 6 en el menor. Tiene la corteza lisa, arrugada o surcada, según las variedades, y siempre de color amarillo. Tiene la pulpa amarillenta, dividida en gajos, comestible, jugosa y de sabor ácido muy agradable. La cáscara es delgada y muy olorosa. Con el limón se hace la limonada, bebida compuesta de agua, azúcar y limón.

Del limón se saca una esencia muy apreciada a través de un procedimiento mecánico, desgarrando las células. La esencia del limón, una vez sedimentada y filtrada, es un líquido fluido, diáfano, de color amarillo pálido, de olor agradable y sabor ardiente, muy utilizado en la elaboración de licores y en repostería.

DESCRIPCIÓN

Es el color lo primero que llama la atención. Amarillo, amarillo claro, luminoso amarillo que obliga a mirarlo fijamente. Siempre amarillo, y es que madura con el sol y se contagia de su luz. Por eso, el amarillo limón es un color ya, no es solo amarillo, sino amarillo limón. Ha dado nombre al color, ahí agazapado al sustantivo, sustantivo él también. Cuando madura en el árbol, va tomando el color entre el verde de las hojas, y al atardecer parece realmente que se encienden las luces, que brillan como farolillos amarillos entre las ramas del limonero.

* En cuclillas es la postura que se consigue doblando el cuerpo hasta casi sentarse en el suelo.

El limón cabe en mi mano. Entonces me gusta apretarlo y sentir la materia densa y compacta, sentir la corteza arrugada en mi piel, mientras un olor penetrante y agradable despierta mi olfato. No engaña su aroma al paladar, pues sabemos de antemano que no es precisamente la dulzura lo que nos espera. El limón se hace recio, sabor salvaje que se impone, tal vez, tal vez para diferenciarse de su hermana la naranja, tan suave y dulce, tan seductora. El limón es agradablemente ácido.

3

Posibles respuestas

- Ayer, a las 9:15 de la mañana, se produjo un tremendo socavón en una de las autovías de circulación más importantes de Madrid, la denominada M-30. Un enorme agujero de 7 metros de profundidad ocupaba más de dos carriles de los cuatro que componen esta autovía. La densidad del tráfico a esta hora es muy alta, lo que ocasionó inevitablemente que cuatro vehículos, dos de matrícula de Madrid, otro de Cádiz y el último de Valladolid, se vieran involucrados en este aparatoso accidente. Uno sobre otro fueron cayendo en la profunda grieta, sin poder evitar la fatal caída, ante las miradas asombradas y asustadas de los demás conductores que circulaban junto a estos. El conductor del coche de Cádiz está ingresado en el hospital de la Princesa y su pronóstico es grave. Aunque la lluvia reciente y continuada de los últimos meses ha podido ser la causa de este accidente, la autoridad competente no ha comunicado aún a los medios de comunicación el origen del citado socavón.

- El pasado sábado, 6 de mayo, hacia la medianoche se desató un aparatoso incendio en una vivienda de la zona centro de la ciudad de Ibiza. En pocos minutos las llamas podían verse desde el puerto y la fortaleza. La familia, que se encontraba durmiendo en aquellos momentos, comenzó a salir con dificultad, y una mujer gritaba porque no podía acceder a la habitación en donde se hallaba su hijo de corta edad. Minutos antes de que se desplomaran las vigas de madera del primer piso, llegaron los bomberos desde la zona de San Antonio. Uno de ellos, al enterarse de que todavía permanecía dentro un niño, atravesó el fuego en su busca. Al poco tiempo, salía con el niño, medio asfixiado, en los brazos. El bombero contó, más tarde, que el pequeño se había salvado porque un trozo de pared había caído sobre la cuna, de tal forma que dejó un espacio que lo protegió de los cascotes a la vez que actuó como una cámara de aire.

- Sr. Director:

Le escribo esta carta porque estoy convencido de que va a publicarla y de que servirá de denuncia ante una situación que no tiene disculpa posible.

Como tantos otros jóvenes amantes de la música, de la buena música que se hace hoy en día en el espacio único de Europa –porque somos europeos, ¿no?–, asistí a Festimad o, mejor decir, macroconcierto de los metales, para disfrutar de los ritmos alternativos en el parque El Soto de Móstoles. No quería perderme la actuación de Limp Bizkit, que venía por primera vez a España. Pasar dos días en aquella enorme pradera oyendo *rock, hardcore* o *punk* era el sueño de mi vida. De pronto, cuando actuaba el grupo galés, se fue la luz en todo el recinto. El silencio y la oscuridad sorprendieron a los miles de asistentes que buscaban, como yo, ruido y luz. Hubo una media hora de espera electrizante, de gritos y protestas ante la inexplicable situación que vivíamos. Se logró reparar la avería, pero un sector del equipo quedó dañado, lo que perjudicó seriamente el resto de la audición.

Quiero sumarme a los que han protestado en el Ayuntamiento, porque no se puede permitir que la falta de previsión vuelva a suceder en próximos festivales. Bien está que este tipo de concierto se celebre en las afueras de las ciudades, por los inconvenientes que puedan ocasionar, pero la organización de estos conciertos merece toda la atención por parte de este ayuntamiento.

Sebastián Rodríguez. Madrid.

Hace muy mal tiempo. Mientras la lluvia **repiquetea** en los cristales de las ventanas y las olas **estallan** contra las rocas, yo estoy sentada delante de la chimenea en donde **crepita** el fuego. Después de escribir una página en mi diario, subí a acostarme. No podía dormir porque el viento **soplaba** con fuerza. Siempre las tormentas **retumban** rabiosamente en esta zona del litoral catalán. Poco a poco fui cayendo en un sueño tranquilizador, pero me despertó el **crujir** del armario, o tal vez de la cama, mezclado con un **gemido** como el de un enfermo. Luego **escuché** el apagado **chirriar** del motor de un coche y el **ladrido** de los perros, seguido del fuerte **estampido** de un trueno. El **estruendo** de la lluvia en el techo del garaje era cada vez mayor. Me levanté asustada y, al mirar por la ventana, vi aquel coche negro empotrado en la puerta del jardín.

Respuesta libre.

6

a) El texto 1 es narrativo y el texto 2 es descriptivo. En el primero se relata un suceso, en cambio en el segundo se nos dice en qué consiste un elemento: la sangre.

b) El texto 1 es una narración literaria, en donde se plasma la genial imaginación del autor. La muerte del personaje se proyecta en el largo y sinuoso recorrido de la sangre que desemboca en la cocina donde se encuentra Úrsula, el personaje afectado por esta muerte. Además de la personificación de la sangre, puede afirmarse que hay una hipérbole o exageración evidente. El texto 2, por el contrario, es una descripción técnica. El propósito de este texto es muy sencillo: informar de forma objetiva sobre el líquido que sostiene nuestra vida, la sangre.

c) En el texto 1 se emplea el pretérito indefinido *–salió, dobló, dio la vuelta, avanzó, pasó, apareció–*, el tiempo típico de la narración. El presente *–es, transporta, existen–* es el tiempo utilizado en el texto 2, que señala el carácter intemporal de la definición.

d) Se puede decir que ambos se ocupan de un mismo tema: la sangre. En el texto 1 se comporta como un auténtico personaje, es más, es la protagonista de este fragmento. En el texto 2 es el objeto que se intenta describir.

7

Posibles respuestas

a) Una inundación: noticia periodística.

El río Pisuerga a su paso por Venta de Baños (Palencia) ha experimentado en los últimos días una enorme crecida. Debido a las fuertes lluvias de este otoño y a la rotura de un desagüe a la altura de la carretera nacional Valladolid-Burgos, el río Pisuerga se ha desbordado y ha provocado una extraordinaria inundación. Los vecinos de esta localidad palentina han abandonado sus casas, viendo cómo los campos de cereal han quedado sepultados bajo las aguas. Informados por el Instituto Nacional de Meteorología, las lluvias torrenciales continuarán durante este fin de semana, lo que indica que el nivel de las aguas tardará todavía en descender.

b) Una inundación: relato realista.

Estuvo toda la noche lloviendo sin cesar. Llovía como no recordaba que hubiera llovido jamás. A cada rato iba hacia el balcón que da al Sur, porque desde allí podía ver el río y el puente viejo que dejaron los romanos, y todavía seguía en pie. El jardín se convirtió pronto en un charco de barro ocre, que se tragó sin dejar rastro el césped y las petunias que había cuidado con tanto esmero. Fui al balcón de nuevo y vi de qué forma las aguas ocupaban las praderas de las orillas, la escalerilla metálica colocada para llegar con más comodidad al puente. Llovió «a cántaros» dos, tres, cuatro horas. El nivel del río iba subiendo, mientras la casa parecía una nave varada en las aguas de cualquier mar. Pronto el puente desapareció de mi vista, tragado –o así lo creí– por aquellas impetuosas aguas del invierno más crudo que viví en tierras catalanas.

a) El final de una corrida de toros: noticia periodística.

La corrida de ayer en la madrileña plaza de las Ventas terminó con un desgraciado accidente, que le costó la vida al diestro José de Antequera. Pese a que los toros que se lidiaban eran de buena casta, el último de la tarde salió ligero y de ataque violento. Un movimiento en falso del torero de Antequera hizo arrancar al toro con tal ímpetu que logró derribarlo en unos segundos. Ni los mozos de cuadrilla, tan próximos al torero, reaccionaron con presteza, ni los médicos de la enfermería consiguieron detener la hemorragia, que acabó con la vida de la joven promesa del toreo español.

b) El final de una corrida de toros: relato realista.

Una tarde más la plaza de toros irrumpe en redondas y sonoras ovaciones ante los movimientos calculados, brillantes y arriesgados del torero. Es el juego mortal entre el hombre y el animal, es el instinto animal que lucha y se enfrenta al hombre, bajo el ruido de los aplausos o el silencio que precede al peligro. Es un estallido de colores, bajo el sol templado de la tarde de mayo. Entonces, el torero, guiado por la música, dejó las chicuelinas ornamentales por la espada y avanzó, sin miedo. Sin miedo, el toro arrancó también desde el toril. Dio la vuelta, buscó con el capote la mirada fiera del toro, giró y volvió a girar, mientras el toro se recuperaba y avanzaba.

El público se impacientaba, el toro embistió aún con más violencia, hasta que el torero recogió la capa algo nervioso y colocó al toro en posición de muerte. El griterío de las gradas le hace reaccionar y le anuncia que todo ha acabado.

8 Te proponemos, como posible respuesta, esta visión de una oficina ubicada en un piso antiguo y señorial.

C.E. Consulting, así se llamaba la asesoría financiera, jurídica y fiscal, que tenía una placa dorada en el portal, porque los Castro de Espinosa, abuelo, padre e hijo, formaban una familia de abogados ilustres al servicio de la gente «gorda».

La agencia quedaba en una de las alas de un piso antiguo y señorial, en un inmueble de seis plantas, en la calle de Eduardo Dato. Ellos trabajaban en la sexta. Entraban y salían por la puerta de servicio y ocupaban una sala grande, con rosetones en el techo y cortinas oscuras que ocultaban las ventanas, que daban a un patio interior, lleno de ventanas.

Allí, cada cual en su mesa, y en su pequeño territorio privado, bajo un silencio sólo interrumpido por los arrullos de las palomas, las vibraciones de los ordenadores y las voces de los niños desde el patio, Pacheco, Martínez, Bernal y Matías trabajaban en asuntos de administración de bienes, compraventa de casas, inversiones, correspondencia financiera y contabilidad general.

En un extremo de la sala, y tras un biombo azul celeste, trabajaba Paquita, que era la secretaria. Y en una especie de trastero o pequeño cuarto, lleno de estanterías, archivos y material diverso, estaba Vega, que se encargaba de tareas menores, atendía a la puerta, hacía recados, manejaba la fotocopiadora, aunque, según él, en el fondo no era otra cosa que un guarda de seguridad disfrazado de botones. Esa era más o menos la oficina que veía Matías.

Luis Landero, *El mágico aprendiz.*
Madrid, Nueva Narrativa,1999 (texto adaptado).

a) Es una descripción en donde predomina el mundo exterior y, particularmente, la casa. Pero también se alude a la realidad interna del personaje que habla.

b) Descripción científica de un proceso: la fotosíntesis.

c) Es una narración. Predomina la acción, aunque también existen fragmentos descriptivos, por ejemplo, la mención de los ríos en el viaje entre Calais y París.